인생의 가장 빛나는 순간을 함께할

_____ 님께

마음을 담아 드립니다.

청소부 **밥**

청소부 밥

토드 홉킨스 · 레이 힐버트 지음 | 신윤경 옮김

위즈덤하우스

청소부 밥

초판 1쇄 발행 2006년 11월 15일   초판 40쇄 발행 2009년 1월 16일

지은이 토드 홉킨스 · 레이 힐버트 옮긴이 신윤경 펴낸이 김태영

기획 한상복

비즈니스 1파트장 신민식
기획편집 2분사_편집장 고정란 책임편집 최유연
1팀 최유연 최소진 2팀 강정애 3팀 김세원 경정은 4팀 이수희 디자인팀 이성희
마케팅분사_곽철식 이귀애 제작_이재승 송현주

펴낸곳 (주)위즈덤하우스 출판등록 2000년 5월 23일 제13-1071호
주소 서울시 마포구 도화 1동 22번지 창강빌딩 15층 전화 704-3861 팩스 704-3891
홈페이지 www.wisdomhouse.co.kr
출력 엔터 종이 화인페이퍼 인쇄 (주)현문 제본 신안제책사

ISBN 89-89313-97-X 03320

세상의 모든 비즈니스 리더들과
그들의 배우자들, 그리고
이 땅의 많은 청소부 밥에게……

『청소부 밥』원고를 처음 읽었을 때 거울을 들여다본 느낌이었다. 경쟁과 승리라는 도그마에 빠져 앞만 보고 질주하다 지쳐버린 우리들의 모습이 마치 거울에 비친 것처럼 나타나 있었기 때문이다.

『청소부 밥』은 일상의 경쟁에 지친 우리에게 어떻게 하면 경쟁에서 살아남아 성공할 것인가를 가르쳐주지 않는다. 그 대신 나지막한 목소리로 묻는다. "그래서 지금 행복하냐"고.

'남들이 질주해가니까, 낙오될까봐, 불안해서 쫓아가지 않을 수 없다'고 대답하는 우리에게 청소부 밥은 미소를 지으며 말한다. "서두를 필요 없다"고.

『청소부 밥』은 커다란 변화를 요구하지 않는다. '지금 당장 바뀌지 않으면 미래는 없다'고 강요하며 몰아세우는 법도 없다. 다만 일상의 작은 일들을, 하지만 흥미로운 경험담을 보여줄 뿐이다. 그런데 이 간결하고 담담한 이야기를 따라가다 보면 어느새 새로운 길을 걷고 있는 우리 자신을 발견하게 된다.

『청소부 밥』은 '인생이라는 축복을 만끽하라'고 말한다. 승리나 성공은 삶의 본질이 아니라고 주장한다. 나 역시 그 주장에 공감한다. 아무리 성공했다 한들 재미를 잃으면 무슨 소용이 있을까.

청소부 밥을 만나는 일은, 지구상 첫 발견 또는 발명에 준하는 행위는 아니다. 그것은 단지 지나치게 바쁜 일상 속에서 놓치고 있던 소중한 가치들을 다시 발견하게 하고, 그 가치들이 어떻게 서로 연관되어 있는지를 깨닫게 할 뿐이다. 그리고 그것들이 모여 어떻게 인생의 축복을 만들어가는지 두 눈으로 확인하면서 즐거운 미소를 머금게 할 뿐이다.

이제 청소부 밥을 만나러 가자. 밥 아저씨를 만나고 돌아온 당신 옆에 가장 소중한 것들이 함께하길 바라며.

2006년 10월

한상복_『배려』의 저자

지친 생활에 활력을 불어넣어 새로운 삶을 시작하게 해줄 이 책을 한국 독자들에게 전할 수 있게 되어 기쁘다.

『청소부 밥』은 수년간 리더십, 커뮤니케이션, 성장 등을 주제로 진행되어온 우리의 강연을 듣고 훈련 프로그램에 참가했던 기업 경영인들의 경험을 토대로 쓰였다.

그들의 이야기 속에서 우리는 대단한 성공을 거둔 기업가들조차 사업적 성공과 개인적 삶을 조화롭게 이끌어가는 데 어려움을 겪고 있음을 알 수 있었다. 이 책의 주인공 로저도 다르지 않았다. 젊은 나이에 CEO가 되었지만 회사는 경영 위기에 처해 있고, 아내와는 이혼당할까 두려울 정도로 소원해진 상태였다.

우리는 그들에게 인생에서의 진정한 성공이란 무엇인가에 대한 해답을 제시하고자 이 책을 썼다. 마치 로저 앞에 구세주처럼 나타난 청소부 밥이 직장생활과 가정생활 모두를 조화롭게 이끄는 삶으로 로저를 안내하듯 말이다.

젊은 CEO와 나이 든 청소부가 우정을 키워나가며 들려주는 인생의 지혜는 일에 치여 직장에서도, 가정에서도 즐거움을 찾지 못하는 한국의 수많은 로저들에게 따스한 위로와 격려를 보낼 것이다. '지쳤을 때는 재충전하라', '가족은 짐이 아니라 축복이다' 등 청소부 밥이 로저에게 들려주는 메시지를 통해 가족과 친구, 즐거움과 기쁨 등 소중한 것을 잃어버린 성공은 의미가 없음을 깨닫게 될 것이다.

또한 회사의 최고경영자로서, 혹은 조직의 관리자로서 믿고 의지할 친구를 원한다면 청소부 밥이 여러분에게 넘치는 우정과 빛나는 지혜를 선사할 것이다.

이 책의 첫 번째 독자는 저자인 우리 자신이었다. 우리는 이 책을 써내려가며 인생의 진정한 행복을 깨달았으며, '피곤' 하기만 했던 일이 '즐거움' 으로 변하는 놀라운 경험을 했다. 우리가 느낀 즐거움이 한국 독자들에게도 전달되기를 바라며, 이 책이 여러분의 삶에 긍정적인 변화를 주길 간절히 기도한다.

토드 홉킨스와 레이 힐버트

차례

어느 누구도 잠들 수 없네

밥 티드웰은 손바닥으로 무릎을 한 번 탁 내려치고는 의자에서 벌떡 일어났다. 그는 몽당연필을 다시 오렌지색 스프링 수첩에 끼워 넣고, 테이블에서 컵과 녹차 티백을 집어 든 후 클리너를 뿌리고 종이 타월로 닦았다. 밥은 티백을 쓰레기통에 가볍게 던져 넣고는 컵을 씻어 싱크대 옆 건조대에 올려놓았다. 이곳은 트리플에이사의 휴게실.

"좋았어!"

그는 마치 정성 들여 정원 손질을 끝낸 후 뿌듯해진 사람처럼 말했다.

밥은 휴게실을 나와 복도를 걸으며, 복도 벽에 길게 걸려 있는 트리플에이사 직원들의 사진을 감탄스럽게 바라보았다. 그들은 자랑스러운 얼굴로 자신들이 만든 제품 옆에 서 있었다. 이 분야에 대해 전문지식이 없는 밥에게는 낯선 물건들이었다. 그는 그저 기계의 한 부품이겠거니 추측할 뿐이었다.

하지만 몇몇 제품은 그가 보기에도 아주 훌륭한 것들이었다. 특히 새로 개관한 현대 미술관의 화려한 로비를 장식하기 위해 특별 제작한 계단 난간은 아주 멋진 작품이었다. 그 사진 속의 다섯 남자는 안전모를 쓰고 회사 로고가 찍힌 셔츠를 입고 카메라를 향해 환하게 미소 짓고 있었다. 모두 자신들이 만든 물건에 자부심을 느끼는 듯 행복한 표정이었다.

밥은 복도를 걸어가며 가장 좋아하는 오페라의 아리아를 부르기 시작했다. 늦은 시간까지 불이 환하게 밝혀진 사장실을 보고 자연스럽게 푸치니의 오페라 「투란도트」에 나오는 '공주는 잠 못 이루고'가 떠올랐던 것이다. 가사가 생각나지 않는 부분은 "음~음~음~"으로 대신해가며 노래는 계속되었다.

밥은 머릿속에서 울려 퍼지는 아름다운 선율에 빠져 눈을 반쯤 감고 노래에 심취했다.

"네숨 도르마, 네숨 도르마."

그는 노래를 계속 하며 청소 도구들이 잘 정돈되어 있는 카트를 밀었다. 그것들은 그의 멋진 '청소 공연'을 도와줄 출연자들이었다.

"뚜 푸레, 오 프린시페사, 넬라 투아 프레다 스타아안자."

경쾌한 손놀림으로 책상과 컴퓨터의 먼지를 털고 닦는 순간에도 노래는 이어졌다.

"가르디 레 스텔라, 체 트레마노 다모레."

그는 오페라 주인공처럼 가슴에 손을 얹고 노래를 이어갔다.

"에 디 스페라아안카."

하지만 그 순간 들려온 낯선 목소리에 노래를 멈춰야 했다.

"목소리가 멋지시네요."

젊은 사장이 사무실 문 앞에 서서 그에게 말을 건넨 것이다.

"죄송합니다. 제가 시끄럽게 해서 일을 못 하셨군요?"

밥이 공손하게 대답했다.

"아니에요, 듣기 좋았습니다. 기분이 아주 좋으신 것 같군요. 그 노래는 오페라 곡인가요?"

양복을 깔끔하게 갖춰 입은 젊은 사장은 문틀에 기대서며 물었다. 지나치며 인사를 한 적은 있지만 이야기를 나누는 것은 이번이 처음이었다.

"네, 푸치니의 작품입니다."

"가사가 무슨 뜻인가요?"

"이탈리아어라서 잘은 모르지만 대충 이런 뜻입니다. 어느 누구도 잠들 수 없네, 어느 누구도 잠들 수 없네…… / 공주, 그대 또한 / 그대의 차가운 보금자리에서 / 사랑과 희망으로 / 전율하는 별들을 / 바라볼 것이오.”

젊은 사장은 비스듬히 기대선 채 미소를 지으며 말했다.

“저한테 딱 어울리는 노래군요. 이젠 보금자리가 되어버린 이 사무실에서 잠 못 이루고 있으니 말입니다. 제가 공주가 아니라는 점만 빼면 바로 제 노래군요.”

“그렇습니까? ‘차가운 보금자리’ 는 아닌 것 같습니다만.”

밥이 웃으며 대꾸했다.

“그렇군요. 사랑과 희망으로 전율하는 별도 없고 말입니다.”

사장은 갑자기 고개를 떨어뜨린 채 발끝을 내려다봤다. 밥은 서로 잘 알지도 못하는 처지에 사장이 갑자기 침울한 기색을 보이자 순간 멈칫했다.

“사장님, 힘든 일이 있으신가 보군요. 제가 뭐라고 참견할 입장은 아니지만…….”

밥은 망설이며 말했다. 비록 나이는 훨씬 어렸지만 그를 고용한 회사 사장이니 조심스러울 수밖에 없었다.

“네, 힘들죠. 빨리 끝내고 집에 가야겠습니다. 이 시간이 되도록 일을 하고 있다니…….”

젊은 사장은 잘생긴 얼굴에 쓸쓸한 미소를 띠며 어깨를 으쓱해 보이더니 사장실로 돌아갔다.

청소부 밥

밥은 다시 아리아를 흥얼거리며 청소를 시작했다. 그런데 컴퓨터 키보드에 눈을 돌리는 순간 그 위에 놓인 초콜릿과 작은 메모지가 눈에 띄었다.

"밥 아저씨, 지난 월요일에 너무 어질러놓고 갔는데 다 치워주셔서 고마워요. 아저씨는 정말 좋은 분이세요. 베키 드림."

밥은 초콜릿을 셔츠 주머니에 집어넣으며 미소를 지었다. 베키는 방금 만난 사장의 업무 비서인데 지난주 책상을 엉망으로 어질러놓고 간 탓에 그녀의 물건들을 다시 제자리에 돌려놓느라 퇴근 시간이 지나고도 일을 더 해야 했던 것이다.

밥도 베키에게 답장을 남겼다. 그날 베키의 물건들을 모두 제자리에 잘 돌려놓았기를 바란다는 내용이었다.

밥은 베키가 퇴근하고도 한참 후에야 청소를 시작하기 때문에 그녀를 직접 만난 적은 없었다. 다만 책상 위에 놓인 결혼사진에서 그녀의 얼굴을 보았을 뿐이다. 사진 속 그녀는 밝고 다정해 보였다. 밥은 그녀와 결혼한 남자는 분명 행복한 사람일 거라고 생각했다.

마침내 사장실 불이 꺼졌다. 젊은 사장은 엘리베이터를 타면서 밥에게 정중하게 작별 인사를 건넸다. 밥은 그를 보며 어쩐지 측은하다는 생각이 들었다.

'저렇게 잘생긴 데다 사회적으로 성공한 젊은이가 왜 그런 절

망적인 말을 했을까?'

그는 다시 푸치니의 아리아를 부르기 시작했다. 이제 이 건물에는 밥 혼자뿐이므로 마음껏 소리 높여 노래 부를 수 있었다.

"마 일 미오 미스테로 에 취우소 인 메……."

밥은 잠시 가사를 음미하며 생각했다.

'그 비밀은 나만이 알고 있을 뿐…… 지금 상황에 잘 어울리는군.'

청소부 밥

월요일의 약속

밥이 다음 주 월요일 트리플에이사에 와보니, 젊은 사장의 사무실에는 여전히 불이 켜져 있었다. 벌써 2주째였다. 밥은 방해하고 싶지 않은 마음에 사장이 사무실을 떠날 때까지 휴게실에 앉아서 기다리기로 했다.

밥은 여느 때와 마찬가지로 녹차를 준비했다. 혼자만의 티타임이 끝나면 두 시간 동안 건물의 모든 사무실을 돌며 잘 짜인 오페라와도 같은 '청소 공연'을 선보일 터였다.

밥은 탄탄하게 성장해가던 사업에서 손을 뗀 후 청소 일을 시작했다. 이 일은 은퇴한 그가 집 밖으로 나올 구실이 될 뿐 아니라 건강에도 활력을 주고, 남에게 도움을 주는 일이기도 했다.

밥은 마치 피트니스 코스를 밟듯 자신만의 스타일로 청소를 해나갔다. 이 작업은 그의 삶에 큰 활력을 주었고, 생각을 정리하는 데도 도움이 되었다.

2년 전 아내 앨리스가 세상을 떠난 후, 저녁 무렵은 그에게 가장 힘든 시간이 되었다. 매일 저녁이면 그녀와 마주 앉아 하루 동안 있었던 일들을 이야기하곤 했기 때문이다. 밥은 그녀와 함께했던 아주 사소한 것들마저 그리웠다. 베개에서 묻어나던 앨리스의 향기가 그리웠고, 일어나자마자 나쁜 뉴스를 보면 심장에 안 좋다며 만화를 먼저 볼 수 있도록 접어주던 신문도 그리웠다.

앨리스는 상냥한 여자였다. 똑똑하고 다정한 사람이었다. 밥과 앨리스는 오랜 시간 행복한 나날을 함께 보내며 인생 최고의 선물인 세 아이를 낳아 길렀고, 그 아이들이 자라서 그들에게 건강하고 활력이 넘치는 세 명의 손자 손녀를 안겨주었다.

밥은 찻물이 끓기를 기다리면서 항상 지니고 다니는 오렌지색 스프링 수첩을 꺼냈다. 그러고는 무언가를 적어 내려갔다. 그때 문이 열리며 젊은 사장이 빈 머그잔을 들고 들어왔다.

"안녕하세요, 킴브로우 사장님."

밥이 먼저 인사를 건넸다.

"네, 안녕하세요. 실례지만 성함이……?"

사장이 물었다.

"네, 밥 티드웰입니다."

밥은 가볍게 인사를 하며 대답하고는 차를 따르기 위해 일어섰다.

"수첩에 뭘 적고 계시던데, 뭔지 물어봐도 될까요?"

"그냥 습관 같은 겁니다. 같은 문장을 계속 뜯어 고치는 거죠. 더 멋진 글이 될 때까지요. 사장님, 마실 것 좀 드릴까요?"

밥은 사장의 빈 머그잔을 보며 물었다.

"아니요, 제가 할게요. 물이 다 끓은 것 같은데 어떤 걸로 드릴까요?"

밥은 역할이 뒤바뀐 이 상황에 웃음을 지으며 대답했다.

"녹차로 하지요. 건강에 좋으니까요."

"그럼 저도 같은 걸로 해야겠군요."

밥은 다시 자리에 앉았다. 사장은 뜨거운 김이 나는 녹차 잔을 밥에게 건네주고는 테이블 맞은편에 앉아 콧등을 문질렀다.

"사장님, 피곤해 보이십니다."

"네, 완전히 녹초가 됐어요."

사장은 뒷목을 주먹으로 탕탕 치며 대답했다.

"너무 늦게까지 일하시더군요."

밥이 딱하다는 눈빛으로 말했다.

"하루 이틀이 아닙니다. 거의 매일 그렇죠. 요즘은 여기서 살

청소부 밥

다시피 해요. 예전엔 나름대로 재미가 있었는데……."

"지금은 재미가 없으십니까?"

"글쎄요, 요즘엔 마치 일만 하기 위해 사는 것 같습니다. 집에 가면 아내와 딸들은 이미 자고 있죠. 주말에도 밀린 일을 하거나 전화기를 붙들고 시간을 보내야 돼요. 가족과 함께할 시간이 없어요."

"안됐군요. 아이들은 눈 깜짝할 사이에 자라는데 말입니다."

"자녀분이 어떻게 되세요?"

이번에는 젊은 사장이 밥에게 물었다.

"아들 둘에 딸 하나입니다. 이미 다 자랐죠. 손자 손녀도 셋이나 있는걸요."

"사진 있으세요?"

"그럼요. 보여드릴게요."

밥은 지갑을 꺼내 가족들의 사진이 들어 있는 간이 사진첩을 죽 펼쳐 보였다. 첫 번째 사진은 앨리스였다.

"부인이신가 보네요?"

"네, 앨리스예요. 2년 전에 먼저 세상을 떠났죠."

밥은 입술을 꼭 다물었다.

"안타까운 일이군요."

사장이 위로의 말을 건넸다.

"지금도 항상 그립답니다. 내 인생의 유일한 사랑이었고, 우린 아주 행복했어요."

"정말요? 요즘 세상에 그런 인연은 드문데……."

젊은 사장이 놀란 듯 눈을 크게 뜨고 물었다.

"물론입니다. 앨리스는 정말 대단한 여자였지요. 인생의 훌륭한 동반자이자 좋은 어머니였고, 아주 현명한 사람이었죠. 내가 오페라와 클래식 음악을 좋아하게 된 것도 다 그녀 덕분입니다. 앨리스는 또 모든 일에 열정적이었어요. 친구들이 오면 색다른 요리를 만들어주기도 하고, 아주 작은 것들까지도 아름답게 만드는 재주가 있었죠. 또한 그녀는 나에게 인생을 어떻게 살아야 하는지 가르쳐준 사람이기도 해요. 그래서 이걸 쓰고 있는 겁니다. 가정에서나 직장에서 행복한 삶을 살기 위한 여섯 가지 지침. 그녀가 알려준 이 내용을 항상 기억하려고 말입니다. 그녀가 얘기했을 때의 느낌을 최대한 살리기 위해서 계속 수정하고 있지요."

"흥미로운 얘기네요. 그런데 왜 하필 여섯 가지입니까?"

사장이 궁금한 듯 물었다.

"그거야 모르죠. 아마 앨리스만 알 겁니다. 어쨌거나 효과만점이었거든요."

밥이 활짝 웃으며 대답했다.

"그 지침을 좀 볼 수 있을까요?"

사장이 밥의 오렌지색 수첩을 가리키며 물었다.

"아직 안 됩니다. 새로 기억난 부분이 있어서 고치는 중이거든요."

밥은 수첩을 다시 셔츠 주머니 안에 밀어 넣으며 대답했다.

"좀 보여주세요. 저한테도 도움이 될 것 같은데요."

젊은 사장이 물러서지 않고 졸라댔다.

"사장님, 정말 그렇게 생각하십니까? 정말로 지침이 알고 싶으세요?"

밥이 잠시 망설이다 물었다.

"지금 상황대로라면 제 미래는 뻔합니다. 아내가 아이들과 재산의 반을 가지고 저를 떠나거나, 그 전에 제가 사무실에서 심장마비를 일으켜 과로사하거나 둘 중 하나죠."

"맙소사! 그 정도로 심각한가요?"

밥이 낮은 목소리로 물었다.

"이 얘기를 들으면 제가 어떤 상황에 처해 있는지 짐작이 가실 겁니다."

사장은 이야기를 계속했다.

"한동안 아내와 사이가 좋지 않았습니다. 물론 아내는 저를 위해주기는 했지만 뭔가가 잘 안 풀렸는지 둘 사이가 계속 겉돈

예전엔 일이 재미있었는데
요즘엔 마치 일만을 위해 사는 것 같습니다.
이대로 가다간 아내에게 이혼당하거나
사무실에서 과로사하거나 둘 중 하나일 겁니다.

다는 느낌이었어요. 이건 틀림없는 위기 신호였죠. 폭발 직전이었거든요. 그런데 지난주에 아내의 생일이 있었습니다. 저에게는 위기에서 벗어날 절호의 기회였죠. 그래서 아내에게 단둘이 오붓하고 분위기 있는 곳에서 저녁식사를 하자고 했습니다. 레스토랑까지 예약해놨어요. 그런데 바로 그날 약속을 깜빡한 겁니다. 집에 도착해보니 아내는 이미 자고 있더군요. 테이블 위에 커다란 꽃다발이 놓여 있었는데 그 안에 제 이름이 적힌 카드가 꽂혀 있었어요."

사장은 녹차를 한 모금 마시고는 말을 이었다.

"하지만 사실 그건 제가 보낸 게 아닙니다. 비서 베키가 아내 생일을 기억하고 있다가 제 이름으로 보낸 거였죠. 베키는 제게 아내의 생일을 알려주려고 전화를 했지만 저는 그때 중국에서 온 손님과 중요한 계약을 체결하느라 휴대폰을 꺼놨지 뭡니까. 몇 주 동안 공들여온 일이었거든요. 원래 계약일은 하루 전이었는데 그들이 예약했던 비행기가 취소되는 바람에 하루 늦게 도착하게 되었죠. 게다가 그들은 다음 스케줄 때문에 그날 저녁 곧바로 떠나야 한다는 겁니다. 난리가 났죠. 일정을 재조정하느라 미친 듯이 허둥댔어요. 결국 중국 손님과 함께 저녁을 먹고, 그들이 비행기에 오르기 직전 계약서에 서명을 받아냈습니다. 너무나 숨 가쁜 일정이었어요. 그렇게 일을 성공적으로 마치고 난 후, 저는 개선장군이라도 된 듯 우쭐해서는 차를 몰고 기분 좋게 집으로 향했습니다. 하지만 꽃다발을 보고 아내의 생일을 잊고 있었다는 사실을 깨닫는 순간, 숨이 멎는 것 같더군요. 그날 이후로 아내는 제게 말도 안 겁니다. 이게 지금의 제 상황입니다. 일벌레 그 자체죠."

"그런 것 같진 않습니다."

밥이 말했다.

"무슨 말씀이시죠?"

"일벌레라기보다는 지극히 인간적입니다. 다만 일이 지나치게 많아서 그런 것뿐입니다."

"이젠 왜 이 일을 하고 있는지조차 모르겠어요. 집에 가봤자 마음만 더 불편하고요. 어떨 땐 가족이 전혀 모르는 사람들처럼 느껴지기도 합니다. 저는 그저 돈을 뱉어내는 현금지급기 신세인 거죠."

"이런…… 정말 앨리스의 여섯 가지 지침이 필요한 순간인 것 같습니다."

밥은 잠시 생각하더니 결심한 듯 말했다.

"사장님, 이렇게 하시죠. 일주일만 기다려주십시오. 다음 주 월요일에 첫 번째 지침을 말씀드리겠습니다. 일주일에 하나씩 말입니다. 그렇게 6주만 지나면 뭔가 달라지는 걸 느끼실 수 있을 겁니다. 가족과의 관계도 좋아지고 일도 다시 즐거워질 겁니다. 다른 사람들도 그랬거든요."

밥의 말에 젊은 사장은 체념한 듯 말했다.

"나쁜 뜻으로 하는 말은 아니지만, 솔직히 믿기 어려운 말씀이네요."

"조금 전만 해도 여섯 가지 지침을 꼭 알고 싶다고 하지 않으셨습니까?"

밥은 오렌지색 수첩을 주머니에서 꺼내 흔들며 말했다.

젊은 사장은 잠깐 고민하는 듯하더니 처음으로 미소를 지으며 말했다.

"좋아요, 한번 시도해볼 만한 가치가 있을 것 같군요. 그럼 저는 뭘 준비하면 되죠?"

"잘 생각하셨습니다."

밥도 미소를 지으며 대답했다.

"사장님은 녹차 두 잔을 준비해주십시오. 저는 평소보다 30분쯤 일찍 와서 첫 번째 지침에 대해 말씀드리겠습니다. 대신 충분히 설명드릴 수 있는 시간을 주셔야 합니다. 일주일에 하나씩 천천히 말이죠."

"그러죠."

사장은 빈 머그잔을 가리키며 덧붙였다.

"그런데 녹차가 정말 건강에 좋기는 한가요? 그렇더라도 맛이 너무 쓰네요."

두 사람은 기분 좋게 웃음을 터뜨렸다. 그리고 밥은 다시 사무실 청소부로, 젊은 사장은 사무실의 주인으로 각자의 본분에 충실하기 위해 발걸음을 옮겼다.

청소부 밥

고독과 피곤

로저 킴브로우는 부엌으로 연결된 뒷문을 통해 집 안으로 들어갔다. 고요한 어둠이 집 전체를 가득 채우고 있었다. 식탁 위에는 랩으로 싸인 큰 접시가 놓여 있었고, 그 위에 서툰 글씨로 '아빠 저녁' 이라고 쓴 쪽지가 붙어 있었다. 작은 딸 베카의 솜씨였다. 로저는 너무 피곤한 나머지 먹고 싶은 생각도 들지 않았지만 어쨌든 접시를 전자레인지에 밀어 넣었다.

그는 딸아이가 남긴 쪽지를 들여다보다가 뒷면에도 뭔가가 쓰여 있는 것을 발견했다. 엄마, 아빠, 그리고 두 딸의 모습이 비뚤비뚤한 선으로 그려져 있었고 큰 하트 모양이 전체를 둘러싸고 있었다. 그는 '베카' 라고 쓰인 글씨를 보고 미소 지었다. 첫 딸 세라가 두 살 때 둘째 레베카가 태어났는데 어린 세라는 동생 이름을 제대로 발음할 수 없어서 항상 '베카'라고 불렀다. 이제 세라는 일곱 살, 레베카는 다섯 살이 되었지만 가족들에게 둘째 딸의 이름은 여전히 '베카'로 통했다.

'마냥 어린 줄만 알았던 베카가 아빠에게 이런 쪽지를 쓰다니, 아이들은 정말 빨리 자라는구나.'

로저에게는 지난 몇 년간의 기억이 거의 없었다. 회사일 때문에 눈코 뜰 새 없이 바빴기 때문이다. 그러는 사이 갓난아이였던 베카가 유치원에 다닐 정도로 자란 것이다.

베카는 유치원 친구들이나 '상상의 친구'인 척에 대해 잠시도 쉬지 않고 재잘재잘 떠들어대곤 했다. 반면 세라는 조용하지만 자신감 있고 훌륭한 꼬마 숙녀로 자라주었다. 학교생활도 문제없이 잘 해내고 있었으며 언제나 시간을 지켜 잠자리에 들었다. 그런데 로저는 이상하게도 그런 세라가 항상 더 걱정되었다.

전자레인지가 큰 신호음을 내며 고요한 부엌을 뒤흔들었다. 로저는 음식을 꺼냈다. 구운 닭고기와 옥수수 그리고 시금치였다. 아내 달린은 훌륭한 요리사였다. 그녀는 언제나 건강에 좋은 음식을 정성 들여 준비해주었다. 이 닭고기 요리도 막 구워냈을 때는 분명 맛있는 음식이었을 것이다. 하지만 전자레인지에 너무 오래 데웠는지, 지금은 시커먼 고무 덩어리처럼 보였

청소부 밥

그가 아무렇게나 던져 넣은
더러운 접시는
다른 깨끗한 접시들과
도무지 어울리지 않았다.
로저는 불현듯
자신이 가족 구성원 사이에
불쑥 끼어든
이방인이 아닐까 하는
생각이 들었다.

다. 로저는 우선 **뻣뻣하게** 굳은 뒷목을 풀어주기 위해 큰 유리 잔에 물을 따른 후 아스피린 두 알을 삼켰다.

식사를 마친 로저는 접시를 식기세척기에 아무렇게나 던져 넣었다. 하지만 곧 자신의 실수를 깨달았다. 저녁 설거지는 이미 끝나 있었고, 그가 던져 넣은 더러운 접시 때문에 나머지 깨끗한 접시에까지 기름이 튀었던 것이다. 그는 딸아이들의 알록달록한 접시를 바라보았다. 예쁜 색깔의 접시에는 알파벳이 적혀 있었다. 아이들의 물컵과 다른 접시들도 눈에 들어왔다.

로저는 갑자기 마음 한편이 저려왔다. 그가 던져 넣은 더러운 접시는, 오늘 저녁 그가 함께하지 못했던 단란한 가족 식사에 놓였던 깨끗한 접시들과 도무지 어울리지 않았다. 그는 불현듯 자신이 가족 구성원 사이에 불쑥 끼어든 이방인이 아닐까 하는 생각이 들었다.

계단 아래에 이른 로저는 아이들이 깰까봐 신발을 벗어 들고 조심스럽게 계단을 올라갔다. 아이들 방 앞에 이르러 방문을 살짝 열자, 밖에서 스며든 불빛이 베카의 금빛 머리카락을 비춰주었다. 얼마 전부터 새로 쓰기 시작한 트윈 사이즈 침대 때문인지 베카의 몸이 더욱 작게 느껴졌다. 언니 세라는 이불 속에 폭 파묻혀 잠들어 있었다.

로저는 베카의 이마에 입을 맞췄다. 머리카락에서 익숙한 사

청소부 밥

과향 샴푸 냄새가 났다. 그는 세라를 향해 몸을 돌렸다.

"차 소리 들었어요."

세라가 잠에 취한 목소리로 말했다.

"미안하구나. 깨우지 않으려고 했는데."

"저녁 드셨어요?"

세라는 엄마 역할을 대신하려는 다 큰 딸처럼 어른스럽게 물었다.

"그럼, 아주 맛있게 먹었어. 고맙다, 우리 딸."

로저는 거짓말로 대답했다.

"이제 다시 자렴. 사랑한다."

"저도요, 아빠."

세라는 중얼거리듯 대답하고는 다시 베개에 얼굴을 파묻더니 곧 잠이 들었다.

로저는 불도 켜지 않은 채 조용히 침실로 들어갔다. 달린은 늦게 들어올 로저를 위해 작은 등을 켜놓은 채 잠들어 있었다.

로저는 재빨리 옷을 갈아입고 침대에 누웠지만 너무 피곤해서 잠을 이룰 수가 없었다. 보고서 숫자들과 오늘 오갔던 수많은 대화, 이메일 내용들로 머릿속이 혼란스러웠다. 하지만 지금 잠을 자두지 않으면 분명 내일 아침에 일어나기 힘들어질 것이다. 요즘 일이 돌아가는 형편을 생각할 때 늦잠을 자는 건 상상할 수 없는 일이란 것을 로저는 잘 알고 있었다.

결국 그는 알람을 6시에 맞추고 수면제를 찾아 한 알 삼켰다. 억지로라도 잠을 청하기 위해서였다. 그는 침대에 누웠지만 여전히 잠을 이룰 수 없어 오랫동안 디지털 알람시계의 숫자가 푸른빛을 발하는 것을 물끄러미 바라보고 있었다. 곁에 누운 아내의 고른 숨소리만이 규칙적으로 들려왔다.

그 순간 날카로운 비명 소리가 집 안 가득 울려 퍼졌다. 두 딸 중 누군가 숨이 넘어갈 듯 비명을 지르고 있었던 것이다. 달린은 벌떡 일어나더니 단거리 육상선수처럼 아이들 방으로 뛰어갔다. 로저도 그녀를 뒤따라갔다. 그가 방에 도착했을 때 달린은 이미 세라를 품에 안고 달래고 있었다. 세라는 놀란 마음이 가라앉지 않는지 땀에 흠뻑 젖은 채 훌쩍이고 있었다.

"무슨 일이야?"

로저가 물었다.

"무서운 꿈을 꿨대."

달린이 건조한 목소리로 대답했다.

"자, 우리 딸. 이제 다 괜찮아."

달린은 세라를 진정시키고 다시 침대에 눕혔다.

"자기는 먼저 가서 자. 별일 없을 거야."

"정말 괜찮겠어?"

로저는 근심스러운 듯 물었지만 수면제의 효과가 이제야 온몸에 퍼져오고 있었다.

"자기가 옆에서 그렇게 불안해하면 애가 더 겁을 내잖아."

달린은 차갑게 대꾸했다.

로저는 하는 수 없이 방으로 돌아와 침대에 누웠다. 몇 분 후 달린도 침실로 돌아왔다.

"세라는 괜찮아?"

로저가 물었다.

"사실 좀 걱정이 돼. 벌써 3일째 악몽 때문에 깼거든."

달린이 냉랭한 말투로 대답했다.

"물론 자기는 늘 집에 없었으니 모르겠지만 말이야."

달린은 한결 차가워진 말투로 덧붙였다.

"이유가 뭔 것 같아?"

로저가 물었다.

"잘 모르겠어. 아침에 물어보면 무슨 꿈을 꿨는지 기억 안 난다고 하니까."

"병원에 가보는 건 어떨까?"

"자기는 당연히 못 갈 테고, 나 혼자 알아서 데려가 보란 말이지?"

달린은 눈썹을 치켜 올린 채, 약간은 요란스럽게 베개를 두드려 펴며 되물었다.

"나 요즘 바쁜 거 알잖아. 이런 일은 자기가 좀 알아서 해주면 안 돼……?"

로저는 말끝을 흐리며 미안한 듯 얼버무렸다.

"안 되긴! 당연히 내가 해야지! 이런 일은 항상 내 차지잖아. 바쁜 당신이 어떻게 이런 자질구레한 일까지 신경 쓰겠어?"

달린이 목소리를 과장되게 높이며 말했다.

로저는 수면제 때문에 대화에 집중하기가 점점 힘들어졌다. 그는 잠시 침묵하다가 가까스로 입을 열어 대꾸했다.

"무슨 뜻이야? 내가 집안일에는 관심도 없다는 거야?"

"뜻은 무슨 뜻? 그냥 말한 그대로야."

달린이 대답했다.

"그래?"

로저는 할 말을 잃고 머뭇거렸다.

"이제 그만해. 내가 내일 병원에 전화해볼게."

달린은 말다툼을 매듭짓고는 다시 침대에 누웠다.

"아참! 저녁 잘 먹었어. 늦어서 미안해."

로저는 분위기를 바꿔보려는 듯 화제를 돌렸다.

"애들이 많이 기다렸어. 나중엔 지쳐서 식탁에 앉은 채로 졸고 있더라. 늦으면 늦는다고 전화라도 한 통 해줘야 하는 것 아냐? 그래야 기다리지 않지."

달린은 다시 차분해진 목소리로 차갑게 따졌다.

"미안해. 일 때문에 어쩔 수 없었어. 게다가 오늘은 사무실 청소부와 우연히 얘기를 하게 됐는데……."

로저가 사정을 설명하려 했지만 달린은 재빨리 말을 잘랐다.

"됐어. 일일이 변명할 필요 없어."

"미안하다고 하잖아. 일 때문에 그런 걸 어떡해."

로저가 말했다.

"진짜 미안하긴 한 건지……. 그런 얘기는 하도 들어서 지겨워. 지금 우리 상황이 어떤지나 알고 있으면 좋겠어."

"나도 노력하고 있어. 한꺼번에 모든 걸 다 완벽하게 잘할 수는 없잖아."

"자기한테 완벽한 사람이 되라고 한 적 없어. 그냥 남들처럼 평범한 남편 노릇, 아빠 노릇을 해주길 바랄 뿐이야. 내가 그동안 얼마나 많이 울었는지 알아? 매일 몇 시간씩 들여서 저녁 준비 해놔야 결국엔 식어서 버려야 하고, 밖에서 차 소리만 들려도 혹시나 해서 내다보고……. 이런 얘기 한두 번 한 게 아니잖아. 진짜 모르는 거야, 아니면 모르는 척하는 거야? 언제부터 이렇게 된 건지 이제 기억도 안 나. 매일 똑같은 일로 말다툼하는 것도 이젠 정말 지겹다고!"

"그렇게 말하지 마. 나도 최선을 다하고 있어. 사사건건 불만인 당신 기분 맞추는 거 나도 힘들다고!"

로저는 그렇게 반박하고는 대화의 빗장을 닫아걸었다.

"그만하자. 피곤해서 이만 자야겠어."

로저의 일방적인 종료 선언에 달린은 더 이상 아무 말도 하지 않고 불을 껐다. 로저는 약 기운에 취해 금세 깊은 잠에 빠졌다.

얼마 지나지 않아 알람 소리에 잠에서 깬 그는 조용히 일어나 샤워를 한 뒤 옷을 입고 급히 사무실로 향했다. 달린과 아이들은 아직 잠에 빠져 있었다. 그는 회사에 제일 먼저 도착해 불을 켜고 정신을 차리기 위해 커피를 한 잔 마시며 생각했다.

'이런 식으로 살 바엔 차라리 사무실에 침대를 갖다놓는 편이 낫겠군.'

삶에 지쳤을 때는

로저는 컴퓨터 모니터의 시계를 바라보았다. 곧 그 청소부를 만날 시간이었다. 로저의 머릿속으로 지난 일주일이 주마등처럼 스쳐갔다.

그는 청소부를 처음 만났던 지난주 월요일보다 훨씬 지쳐 있었다. 로저의 회사인 트리플에이의 최대 고객 업체인 크로킷스틸 경영진을 접대하느라 주말에도 쉬지 못했기 때문이다. 골프장에서부터 칵테일을 곁들인 저녁식사까지 동행하느라 로저는 완전히 녹초가 되었다.

게다가 오늘은 아침부터 이메일 한 통을 놓고 진을 빼고 있었다. 매우 조심스럽게 처리해야 할 일인데 몇 글자 쓰려고 하면 전화가 오거나 직원이 급한 문제를 들고 찾아와 흐름을 끊곤 한 것이다. 퇴근 전까지 이메일을 완성하려면 아무래도 청소부와의 약속은 미뤄야 할 것 같았다.

로저는 빠른 걸음으로 휴게실로 향했다. 청소부 밥은 이미 약속 장소에 도착해 녹차를 준비하고 있었다.

"사장님, 잘 지내셨습니까?"

밥이 반갑게 미소를 지으며 그를 맞았다.

"그냥 그렇죠, 뭐."

로저는 불편한 기색을 드러내며 대답했다.

"저, 미안하지만 오늘 약속은……."

"너무 바쁘셔서 다음으로 미뤄야겠습니까?"

밥이 말했다.

"그렇게 됐습니다. 오늘 꼭 보내야 할 중요하고 민감한 메일이 있는데 하루 종일 다른 일에 시달리느라 쓰지 못했거든요. 정말 죄송합니다. 말씀은 다음 주에 듣기로 하죠."

"그럼 그러십시오. 자, 녹차라도 가져가서 드세요."

밥은 김이 모락모락 나는 머그잔을 로저에게 건넸다.

"저번에 마셨던 그 쓴 차로군요."

로저는 며칠 만에 처음으로 미소를 지었다.

"맞습니다. 입에는 쓰지만 몸에는 좋죠."

밥이 로저를 향해 살짝 눈짓을 하며 말했다.

"녹차만 그런 건 아니라는 말씀을 하고 싶으신 거죠?"

로저가 눈치를 채고 물었다.

"금방 들켰습니다. 하하하."

밥은 큰 소리로 웃음을 터뜨렸다.

"시간이 얼마나 걸릴까요?"

로저가 물었다.

"첫 번째 지침 말인가요? 지침의 내용만이라면 5초면 충분합니다."

"5초요?"

로저가 의아한 듯 물었다.

"그렇습니다."

밥이 자신 있게 대답했다.

"그 정도라면 약속을 미룰 필요가 없겠네요."

로저가 자리에 앉으며 말했다. 로저의 모습을 바라보던 밥이 흔들림 없는 단호한 목소리로 말했다.

"지친 머리로는 일할 수 없다."

"네? 무슨 말씀이신지……?"

로저가 물었다.

"말 그대로입니다. 앨리스는 항상 제게 이 말을 하곤 했거든요. 지친 머리로는 절대 일할 수 없다고 말입니다."

밥이 침착하게 대답했다.

"그럼 어떻게 해야 하죠?"

로저가 궁금한 듯 물었다.

"지쳤을 때는 재충전을 해야죠. 이게 앨리스의 첫 번째 지침입니다."

밥이 그의 오렌지색 수첩을 톡톡 치며 말했다. 로저는 녹차를 한 모금 마시며 관심을 보였다.

"흥미로운 이야기네요. 좀더 자세히 설명해주세요."

"급한 이메일은 어떻게 하시고요?"

밥이 물었다.

"좀 있다 쓰죠, 뭐."

로저는 마음을 완전히 돌린 듯 대답했다.

"사장님께서 이렇게 간절히 원하시는 걸 보면 앨리스가 아주 기뻐하겠는데요."

밥은 즐거운 얼굴로 잠시 오렌지색 수첩을 들여다보더니 이야기를 이어갔다.

"앨리스와 갓 결혼했을 때의 일입니다. 사장님은 아마 세발자전거를 타고 다닐 나이였겠죠. 그 당시 제 상황은 지금 사장님과 비슷했어요. 하루 종일 일에 시달리다 녹초가 되어 집으로 돌아오곤 했죠. 그런데 하루는 퇴근하고 집에 가보니 앨리스가 연장박스와 소나무 널빤지를 준비해놓고 저를 기다리고 있지 뭡니까. 그러고는 잡지에 나온 사진을 보여주며 똑같은 새장을 하나 만들어달라더군요. 게다가 그냥 평범한 새장도 아니었습니다. 장식이 가득한 예쁜 새장이었죠."

"목수 일을 하셨나 보죠?"

"목수라고요? 아닙니다."

밥이 재미있다는 듯 껄껄 웃었다.

"저도 사장님과 마찬가지로 사업을 했습니다. 이래 봬도 대학원까지 나왔고 학위도 몇 개 받았죠. 집에서는 못질조차 스스로 해본 적이 없었어요. 하지만 앨리스에게는 안 통했죠. 무조건 새장을 만들어달라는 거였습니다."

"그래서 만드셨어요?"

로저가 물었다.

"그럼요. 앨리스의 부탁인데 감히 거절할 수가 있나요. 다음날 저녁부터 새장을 만들기 시작했는데 처음에는 정말 짜증이 났습니다. 그날도 역시 회사 일로 완전히 지쳐 있었거든요. 하지만 어쨌든 널빤지를 적당한 크기로 잘라서 한쪽에 모아두고 대충 설계도를 그려봤습니다. 그리고 앨리스에게 필요한 재료들을 사다달라고 부탁했죠. 그렇게 꼬박 일주일을 매달려서 새장을 완성했습니다. 그런데 마지막 칠을 하는 순간 문득 이런 생각이 들더군요."

"어떤 생각이요? 혹시 너무 못 만들었다는 생각인가요?"

로저가 장난기 가득한 얼굴로 농담을 던졌다.

"솔직히 잘 만든 건 아니었죠. 하지만 그보다 중요한 건 앨리스가 그 새장을 만들어달라고 한 이유를 마침내 깨달았다는 것입니다."

밥이 미소 띤 얼굴로 대답했다.

"이유가 뭐였나요?"

로저가 물었다.

"앨리스는 저를 위해 그런 부탁을 했던 거였습니다."

밥이 대답했다.

"죄송하지만 도통 무슨 말씀이신지 모르겠네요."

로저가 솔직하게 말했다.

"처음에는 분명 그 일이 지겨웠습니다만, 마지막 날이 되어 가만히 돌이켜보니 둘째 날부터는 새장을 만드는 게 짜증스럽지 않았습니다. 오히려 재미를 느끼기 시작했죠. 이전에는 아침에 눈 뜨면 회사 보고서부터 읽곤 했는데, 그 일을 시작한 후에는 새장을 점검하는 것으로 하루를 시작하게 되었습니다. 셋째 날인가 넷째 날에는 일하면서 나도 모르게 콧노래가 흘러나오더군요. 어떤 상황인지 이해가 되십니까?"

차에 기름이 떨어지면 움직이지 못하는 것처럼
우리 몸도 에너지가 떨어지면 멈춰버리고 맙니다.
지친 머리로는 일할 수 없듯이
지쳤을 때는 재충전이 필요합니다.

"글쎄요…… 알 것도 같고……."

로저는 여전히 감이 안 잡히는 듯 주저하며 대답했다. 그러자 밥이 분명한 목소리로 말했다.

"일 때문에 지쳐 있을 때는 다른 활동을 통해 에너지를 재충전해야 한다는 사실! 앨리스는 제게 그걸 깨닫게 해주고 싶었던 겁니다. 그래서 취미생활이나 레저활동이 필요한 거죠. 재미를 느끼는 일은 사람마다 다를 테니 먼저 자신에게 잘 맞는 일을 찾아야 합니다. 아마 저에게는 새장 만드는 일이 잘 맞았던 것 같습니다. 그 일을 하는 동안 엄청난 아이디어들이 마구 쏟아져 나왔으니까요. 며칠간 끙끙대던 일도 쉽게 해결되고, 기발한 아이디어가 샘처럼 솟아나서 창의적으로 일을 해결할 수 있었습니다. 피로도 전혀 느끼지 않았고요. 에너지를 계속 쓰기만 하고 재충전하지 않으면 언젠가는 바닥이 날 수밖에 없습니다. 완전히 지쳐 나가떨어지는 거죠."

"지금의 저처럼 말이죠?"

로저가 물었다.

"그렇습니다. 저도 그런 상황을 겪어봐서 잘 압니다."

밥이 대답했다.

"그럼 그 이후에도 새장 만드는 일을 계속 하셨나요?"

"아니요. 아쉽지만 그게 처음이자 마지막이었습니다. 새장은 자선단체에 기부했는데 팔리기나 했는지 모르겠습니다. 어쨌든 중요한 걸 배웠죠. 스스로 재충전하는 법을 말입니다."

"그럼 그 이후에는 뭘 하셨어요?"

로저는 이야기에 열중한 나머지 차를 마시는 것조차 잊고 있었다.

"사장님, 차 다 식겠습니다."

밥이 머그잔을 로저 쪽으로 살짝 밀며 말했다.

"이 이야기 자체를 기억하려고 애쓰실 필요는 없습니다. 스스로 깨닫는 게 중요한 거죠."

로저는 차를 한 모금 마시고는 셔츠 단추를 하나 풀었다.

"앨리스에게 새장을 만들어달라고 했던 이유를 깨달았다고 말하자 그녀는 다행이라고 하더군요. 아니면 하나 더 만들게 하려고 했다면서요."

밥과 로저가 동시에 웃음을 터뜨렸다. 밥이 말을 이었다.

"저는 중요한 것을 깨닫게 해줘서 고맙다고 했죠. 바로 그때 앨리스가 말했습니다. '지친 머리로는 일할 수 없다'고요. 차에 기름이 떨어지면 움직이지 못하는 것처럼 우리 몸도 에너지가 떨어지면 멈춰버린다고 하더군요. 맞는 말이었습니다. 뭐라고 반박할 여지가 없었죠. 그리고 나에게 맞는 재충전 방법을 찾았습니다. 퇴근 후나 근무 중에 가볍게 산책을 하거나 책, 잡지 등을 읽으면서 생활에 활기를 불어넣는 거였습니다. 클래식 음악을 듣는 것도 좋은 방법 중 하나였습니다. 그런 활동들이 하루하루 반복되면서 마치 밥을 먹거나 옷을 입는 것 같은 일상의 한 부분으로 자리를 잡아갔고, 저는 매일 저녁 식사를 마친 후 스스로 재충전하는 시간을 갖게 됐습니다."

밥은 이야기를 마치고 녹차를 한 모금 마셨다.

"쉽게 할 수 있는 일은 아니군요."

로저가 한숨을 쉬며 말했다.

"사장님, 일단 한번 시도해보십시오. 생각보다 쉬운 일이라는 걸 알게 되실 겁니다."

밥이 말했다.

"하지만 제 아내는 부인과 달라요."

로저가 말했다.

"가족들은 제가 얼마나 스트레스에 시달리고 있는지 모르는걸요."

"왜 그렇게 생각하십니까?"

밥이 물었다.

"아내는 제가 일만 하고 가족들에게는 신경도 안 쓴다고 매일 불평이에요. 두 딸아이도 바라는 게 어찌나 많은지 학교 공연이나 소프트볼 경기가 있을 때마다 보러 오라고 난리고요. 제

몸은 하난데 어떻게 그 많은 일을 다 할 수 있겠어요? 항상 미안한 마음이 들긴 하지만 어쩔 수 없잖아요. 가족과 일, 두 마리 토끼를 다 잡는 건 불가능한 것 같아요."

"너무 복잡하게 생각하시는 것 같네요."

밥이 말했다.

"아무 생각 말고 일단 첫 번째 지침대로 해보십시오. 가정과 직장생활 모두 완전히 달라질 겁니다. 제가 장담하죠."

"지금 전 빠져나올 수 없는 늪에서 허우적대는 꼴입니다. 지침대로 한다고 해서 달라질 수 있는 상황이 아니에요."

로저가 말했다.

"사장님, 그러면 한 가지만 약속해주시겠습니까?"

"뭐죠?"

"다음 주 월요일에도 꼭 다시 만나는 겁니다."

밥은 이 말과 함께 자리에서 일어났다.

"벌써 일을 시작하실 시간인가요?"

로저가 시계를 보며 물었다.

"네. 그럼 다음 주 월요일에 뵙죠."

밥이 인사를 건넸다.

"네, 꼭 올게요."

로저는 다짐하듯 대답했다.

밥은 아무 말 없이 그의 오렌지색 수첩을 한 장 찢어 로저에게 건네고는 휴게실 밖으로 사라졌다. 로저가 건네받은 종이에는 이렇게 쓰여 있었다.

첫 번째 지침: 지쳤을 때는 재충전하라.

로저는 종이를 들고 사무실로 돌아와 다시 이메일 쓰는 일에 집중하기 시작했다. 그리고 10분 뒤, 그는 깜짝 놀랐다. 하루 종일 매달렸던 일을 단 10분 만에 이렇게 쉽게 끝내다니······.

뒤엉킨 삶을 풀어내는 비결

로저가 집에 도착했을 때는 부엌에만 환하게 불이 밝혀져 있었다. 식탁 위를 보니 박스에 피자 두 조각이 담겨 있었고, 싱크대에는 저녁식사 때 쓴 접시들이 아직 그대로 남아 있었다. 월요일 저녁 메뉴는 피자일 때가 많다. 아이들이 가장 좋아하는 음식이기 때문이다.

로저는 샤워부터 하고 내일 아침 발표할 계획안을 검토하기로 마음먹었다. 그는 먼저 아이들을 보기 위해 계단을 성큼성큼 올라갔다. 달린이 두 아이가 누워 있는 침대 사이에 앉아 아이들에게 책을 읽어주고 있었다.

"아빠!"

아이들은 반가운 마음에 로저의 목을 껴안으며 매달렸다. 로저는 허리를 굽혀 달린의 이마에 입을 맞추었고 달린은 미소로 답했다. 그간의 서먹했던 분위기가 다소 누그러지는 듯한 느낌이었다.

"자기가 애들한테 책 좀 읽어줄래? 나는 그동안 설거지를 좀 할게."

달린이 부탁했다.

"그래요, 아빠! 아빠가 읽어주세요."

두 딸은 입이라도 맞춘 듯 함께 졸라댔다.

"좋아. 하지만 잠깐만이다. 둘 다 어서 자야지."

로저는 아이들을 눕히며 조건을 붙였다.

그는 아이들에게 책 읽어주는 것을 그다지 좋아하지 않았다. 등장인물별로 목소리를 바꿔가며 동화책을 읽는 게 어쩐지 바보같이 느껴졌기 때문이다. 그에 비해 달린은 동화책을 읽어주는 일에 훨씬 열성적이었다. 그녀는 별이 그려진 고깔모자를 쓰고 동화 속 요정 흉내를 내며 아이들을 즐겁게 해주곤 했다.

로저는 재킷과 구두를 벗은 후 침대 사이에 앉았고, 아이들은 다시 이불 속으로 파고 들어갔다.

"모자도 쓰고 해야죠, 아빠."

둘째 딸 베카가 고깔 모양의 요정 모자를 가리키며 말했다.

"아빠는 그런 거 안 써."

로저는 짧게 대답하고는 달린이 표시해준 부분부터 책을 읽기 시작했다. 10분 정도 지났을까? 아이들은 고른 숨소리를 내며 잠이 들었다. 로저는 조용히 방에서 나와 달린이 있는 부엌으로 내려갔다.

"둘 다 세상모르고 잠들었어."

로저가 말했다.

"자기가 책 읽어주면 애들이 무척 좋아해. 내일 아침 먹으면서 내내 그 얘기만 할걸? 큰 선물이라도 받은 것처럼 말이야."

달린이 테이블에 음식 접시를 내려놓으며 말했다. 데운 피자두 조각과 토스트 샐러드였다.

"잠깐 같이 있어줄래?"

로저가 식탁에 앉으며 말했다. 달린은 잠시 망설이다 고개를 끄덕였다.

"집에 오면 늘 혼자 있고 싶어 하는 것 같아서 피해주려고 한건데……."

그녀는 마치 그네에 앉은 어린 소녀처럼 조리대 끝에 걸터앉아 긴 다리를 앞뒤로 흔들었다.

"일은 어땠어?"

"지옥이 따로 없었어. 애들 얘기나 하자."

로저가 피곤하다는 듯 말했다.

"애들이야 항상 똑같지 뭐. 세라는 계속 소프트볼 경기 얘기만 하고 베카는 '상상의 친구' 척의 머리카락을 잘라줘야 된다고 하고…… 참! 오늘 가게에 갔다가 우연히 의사 선생님을 만나서 세라가 자꾸 악몽을 꾼다고 말씀드렸거든."

달린이 새로운 이야기를 꺼냈다.

"아, 병원에 가보기로 했었지? 잊고 있었네."

로저는 음식을 입에 넣으며 대꾸했고 달린은 살짝 언짢은 표정을 지었다.

"그래서 의사가 뭐래?"

로저가 음식을 삼키며 물었다.

"애들이 악몽을 꾸는 건 정상적인 일이래. 어떤 애들은 며칠씩 연속으로 같은 꿈을 꾸기도 한다는걸? 그건 두려움을 극복하는 과정이라는 연구 결과도 나와 있대."

"어떤 두려움?"

로저가 물었다.

"잘은 모르지만 세라가 이런 말을 한 적이 있어. 자기 반 친구 부모님이 이혼을 했는데 우리도 혹시 이혼할 거냐고……."

"그래서 뭐라고 대답했어?"

로저가 긴장된 얼굴로 포크를 내려놓으며 물었다. 잠시 무거운 침묵이 흘렀고 마침내 달린이 한숨을 쉬며 입을 열었다.

청소부 밥

"왜 그런 생각을 하느냐고 물었지. 그랬더니 내가 방에서 우는 걸 본 적이 있다고……."

"우린 이혼 같은 거 안 한다고 달래줬어야지."

로저가 달린을 바라보며 말했다.

"글쎄…… 그래야 했을까?"

달린도 로저를 마주 보며 말했다.

"글쎄라니? 그게 무슨 뜻이야?"

로저가 눈을 크게 뜨며 되물었다.

"내가 힘들어하는 모습을 보고 세라가 겁먹었다는 거 알아. 당연히 달래주고 안심시켜줘야 했겠지. 세라도 그걸 바랐을 거야. 하지만 나도 내 마음을 모르는데, 어떻게 그럴 수가 있겠어? 아이들한테 상처 주기는 싫지만, 그렇다고 거짓말을 하고 싶진 않아."

"그런데 당신은 왜 울었는데?"

로저가 물었다.

"정말 몰라서 묻는 거야? 뻔하잖아. 그걸 꼭 말해줘야 알아?"

달린이 차가운 목소리로 말했다.

"말을 안 하는데 내가 어떻게 알아?"

로저는 식욕을 잃은 듯 접시를 밀쳐냈다.

"수도 없이 말했잖아! 어젯밤에도 말했고. 똑같은 말을 대체 몇 번을 해야 돼? 우리는 서로 원해서 결혼했어. 한쪽이 억지를 부려서 다른 한쪽이 어쩔 수 없이 끌려온 게 아니잖아. 그런데도 자기는 나와 아이들이 무슨 큰 짐이나 되는 것처럼 부담스러워하고 있는 거 알아? 원하지도 않는데 어쩔 수 없이 떠맡게 된 짐짝처럼 말이야. 난 우리가 서로 사랑해서 결혼했고, 둘 다 이런 생활을 원했다는 걸 의심해본 적이 없어. 아이들이 태어났을 때 우리가 얼마나 행복했었는지 생각해봐. 정말 꿈만 같았잖아. 결혼 초기에는 자기도 일 끝나기가 무섭게 집으로 돌아왔고. 그런데 요즘은 '이렇게 사는 게 무슨 의미가 있을까' 하는 생각이 자꾸 들어. 나나 애들이 그렇게 부담스럽다면 차라리 혼자 사는 게 더 낫지 않겠어? 서로를 원하지도 않는데 좋은 집에 멋진 차, 그런 것들이 다 무슨 소용이야? 난 이제 더 이상 확신이 서지 않아. 자기한테는 아무리 말해줘 봐야 무슨 말인지 못 알아듣는 것 같고."

달린은 조리대에서 내려와 빠른 걸음으로 침실을 향해 사라졌다.

그랬다. 똑같은 이야기를 수도 없이 들었다. 로저는 하지만, 솔직히 말해 그녀의 주장을 여전히 이해할 수 없었다.

그는 아내와 딸들이 좋은 집에서 편하게 살 수 있도록 최선을 다해왔다. 그것이 로저의 의무였다. 그래서 죽도록 일에 매달렸다. 그런데도 달린은 로저가 가족들을 생각하지 않는다는 둥, 거리감이 느껴진다는 둥, 끊임없이 불만만 늘어놓는다. 로저는 잠자코 있다가 느닷없이 화를 내곤 하는 달린을 도무지 이해할 수 없었다.

로저가 보기에 그녀는 이상적인 가정을 맹목적으로 고집하고 있는 것 같았다. 온 가족이 테이블에 둘러앉아 단란한 저녁 식사를 하고, 함께 공원으로 산책을 가는 그런 모습 말이다. 하지만 이상은 이상일 뿐이다. 현실이 이상 같을 수는 없다는 것을 그녀는 인정하지 않는다.

로저는 접시를 식기세척기에 대충 던져 넣고 계획안을 검토하기 위해 서류 가방을 찾았다. 내일 아침에는 차분하게 읽어볼 시간이 없을 것이기에 오늘 읽어둬야 했다. 달린에게 이번 일이 얼마나 중요한지 설명해봤자 어차피 이해하지 못할 것이다. 그는 어떤 상황이 닥치더라도 일을 소홀히 할 수는 없었다. 수십 명의 직원들은 물론, 그들의 가족까지 자신에게 의지하고 있다는 사실을 잊어서는 안 되기 때문이다.

그런데 가방을 샅샅이 뒤져봐도 계획안을 찾을 수가 없었다.

'이럴 리가 없는데…… 사무실에 두고 왔나?'

그는 비서 베키에게 전화를 걸어 계획안 파일을 이메일로 보내달라고 할까 잠시 생각했지만 그러기엔 너무 늦은 시간이었다. 그렇다고 사무실에 다시 갔다 오자니 한 시간은 족히 걸릴 테고…… 어쩔 수 없었다. 내일 또 새벽같이 출근하는 수밖에.

로저는 그냥 잠을 자기로 하고 잠자리에 들 준비를 했다. 달린은 더 이상 아무 얘기도 하고 싶지 않은지 독서등까지 모두 끈 채 침대에 누워 있었다.

로저는 5시 30분으로 알람을 맞추다가 문득 침대 옆 탁자에 책이 한 아름 놓여 있는 것을 발견했다. 그는 달린이 책을 많이 읽는다는 사실을 새삼스럽게 깨닫고는 그 중 한 권을 집어 들었다. 프랭클린 그레이엄이 쓴 『한계를 극복하는 사람들』이라는 책이었다.

'내 얘기 같군. 나도 매일 한계를 넘어서고 있으니 말이야.'

로저는 책을 읽으면 수면제 없이도 잠들 수 있지 않을까 하는 생각에 책장을 넘기기 시작했다. 하지만 그는 두 시간이 지나도록 여전히 잠들 수 없었다. 책에 완전히 매료되어 덮을 수가 없었기 때문이다.

다양한 상황에서 남을 위해 희생한 휴머니스트들의 이야기가 '희망'이라는 단어에 담긴 깊은 의미를 일깨워 주고 있었다. 로저는 깊은 감동을 받았다. 그는 책을 읽는 동안 계획안에 대한 걱정은 까맣게 잊고 있었다.

시계 바늘은 어느덧 자정을 가리키고 있었다. 그는 알람을 다시 7시 30분에 맞추고 책을 읽다가 자기도 모르는 사이 베개에 얼굴을 묻고 잠이 들었다.

다음 날 아침 달린이 그를 가볍게 흔들어 깨웠다.

"늦잠 잔 거 아니야? 벌써 일곱 시 반이 넘었어."

"괜찮아. 쉬고 싶어서 그랬어."

로저가 몸을 일으키며 말했다.

"오늘은 내가 애들을 학교에 데려다줄게."

"정말?"

달린이 반색하며 몸을 벌떡 일으켰다.

"정말이면, 이제 자기 웃는 얼굴 볼 수 있는 거야?"

로저가 욕실로 가며 물었다.

"웃는 얼굴뿐이겠어? 메이플 시럽을 얹은 블루베리 팬케이크도 덤으로 줄게."

달린은 기분이 좋은 듯 환한 미소를 지었다.

"좋아!"

로저가 대답했다.

로저가 샤워를 하고 옷을 입는 동안 달린은 두 딸을 깨우고 아침 준비를 했다. 가족과 함께 하루를 시작하는 느낌이 로저에게는 매우 새로웠다. 그는 항상 모두가 자고 있는 시간에 혼자 일어나 출근을 했었다. 마치 파티에 놀러왔던 손님이 하룻밤 신세를 지고는 미안한 마음에 몰래 집을 빠져나가듯 조심스럽게 사무실로 향했던 것이다.

아직 졸음이 덜 가신 얼굴로 식탁에 앉아 시리얼을 먹고 있는 두 딸의 모습은 평소보다 훨씬 사랑스러웠다.

"침대 옆 탁자에 있던 책을 한 권 읽었어. 프랭클린 그레이엄 이 쓴 책 말이야."

로저가 아침을 먹으며 말했다.

"한계를 극복하는 사람들? 정말 대단하지 않아?"

달린이 밝은 얼굴로 물었다. 아무리 심하게 싸우더라도 다음 날이면 기분 나쁜 내색 없이 다정한 아내로 돌아와 주는 달린이 로저는 고마웠다.

"감동적이었어. 한번 읽기 시작하니까 놓을 수가 없는 거야. 그들은 정말 특별한 사람들인 것 같아. 나 같으면 절대 그런 일 못할 거야."

로저가 말했다.

"무슨 말이야. 자기도 매일 다른 사람을 돕고 남을 위해 열심 히 일하고 있잖아."

달린이 진심 어린 목소리로 말했다.

'달린에게서 이런 다정한 말을 듣는 것도 정말 오랜만이군.'

로저는 속으로 생각했다.

청소부 밥

"정말로 애들을 학교에 데려다줄 수 있겠어?"

달린이 걱정스러운 듯 아이들을 흘끗 쳐다보며 낮은 목소리로 물었다.

로저는 말없이 고개를 끄덕여 대답했다. 그는 아침식사를 마치고 아이들 등교 준비를 도운 후 차에 올랐다. 그리고 출발하기 전에 고개를 돌려 달린을 바라봤다. 그녀는 말없이 미소를 띤 채 남편과 아이들을 배웅하고 있었다. 잠옷 차림에 부스스한 머리를 하고 있는 그녀의 모습은 베카와 꼭 닮아 있었다. 달린은 손을 흔들어주었고 로저는 그녀의 입술이 소리 없이 "고마워"라고 말하는 것을 읽을 수 있었다.

오랜만에 느껴보는 화창한 아침이었다. 어젯밤 이혼 얘기가 오갔다는 것이 믿기지 않을 만큼 달린과 로저는 서로를 가깝게 느끼고 있었다. 퇴근 후 밤늦게 집에 들어가 달린과 또다시 똑같은 말다툼을 하는 일 따위는 생각조차 할 수 없었다.

학교에 가는 동안 세라와 베카는 그동안 아빠에게 하지 못했던 이야기들을 쉴 새 없이 쏟아냈다. 세라는 학교 소프트볼 팀에서 활약한 일들을 떠들었고, 베카는 척의 머리가 장발이라서 잘라줘야 한다고 거듭 주장했다. 로저는 오랜만에 상쾌하고 따뜻한 기분으로 아침을 시작했다.

로저는 사무실에 도착하자마자 계획안을 검토하기 위해 비서 베키에게 외부 전화를 연결하지 말아달라고 부탁했다. 자리에 앉으려는 순간, 청소부 밥이 그에게 건네주었던 구깃구깃한 메모가 책상 위에 놓여 있는 것을 발견했다.

'첫 번째 지침: 지쳤을 때는 재충전하라.'

로저는 어젯밤 책을 읽었던 것이 오늘 아침 그에게 얼마나 큰 에너지를 불어넣어 줬는지 깨달았다. 그 책 덕분에 달린과도 쉽게 대화를 풀어갈 수 있었던 것이다.

'지쳤을 때 재충전하는 건 그리 어려운 일이 아니었군. 그 양반 말이 옳았어.'

로저는 아무런 방해도 받지 않고 집중해서 계획안을 검토하기 시작했고 30분 만에 모든 일을 끝냈다.

그는 베키에게 몇 가지 의견과 함께 계획안을 넘겨 수정하도록 한 후, 회의 시간 전에 여유 있게 그것을 모두 완성하는 데 성공했다. 이렇게 간단하게 끝날 일이, 어제는 왜 그리도 힘들게 느껴졌는지 정말 모를 일이었다.

인생 최고의 축복은

다음 월요일. 로저는 밥보다 먼저 휴게실에 도착했다. 휴게실로 들어서는 밥에게 로저가 인사를 건넸다.

"안녕하세요."

밥은 약간 놀란 듯한 표정으로 인사를 받았다.

"오늘은 사장님께서 끓여주시는 차를 마실 수 있겠군요."

"전 완전히 다른 사람이 됐어요."

로저가 머그잔을 내려놓으며 자신 있게 말했다.

로저는 밥에게 아이들과 함께 아침식사를 한 일과, 아이들을 학교에 데려다주며 얼마나 즐거웠는지를 말해주었다. 그뿐 아니라 휴식을 취한 후에 일도 쉽게 끝낼 수 있었다는 기쁜 소식도 덧붙였다.

"대단한 책을 발견했습니다."

로저가 흥분을 감추지 못하고 말을 이었다.

"혹시 '한계를 극복하는 사람들' 이라는 책 읽어보셨어요?"

"아뇨, 제목은 들어본 것 같습니다만······."

"원하시면 빌려드릴게요. 다음 주 월요일에 갖다드리면 되겠네요."

"고맙지만 너무 신경 쓰지 마십시오. 일만 하기도 바쁘실 텐데요."

"그런 걱정은 마세요. 저도 이제 재충전하는 법을 알았으니 더 이상 일에 찌들어 살지는 않을 겁니다."

로저는 다부지게 고개를 끄덕이며 말했다.

"첫 번째 지침이 효과가 있었다니 정말 기쁘군요."

밥이 찻잔을 내려다보며 말했다. 그러나 기쁘다는 말과는 달리 표정은 어딘지 모르게 굳어 있었다. 한마디로 반가워하는 기색이 아니었다.

로저가 그런 밥의 모습에 조심스레 말을 꺼냈다.

"저······ 제 말 기분 나쁘게 생각하지 말고 들어주세요. 저는 지침이 '효과가 있다' 고 말씀드리면 굉장히 기뻐하실 줄 알았는데, 지금 표정은 별로 그런 것 같지 않네요. 제가 뭐 잘못한 거라도······."

"아닙니다, 사장님. 그런 게 아니에요. 진심으로 기쁩니다. 다만……"

밥이 말을 잇지 못하고 머뭇거렸다.

"말씀하세요. 무슨 말이든 다 괜찮습니다."

"기쁜 순간에 괜히 찬물을 끼얹는 건 아닌지 모르겠네요. 사장님께서 완전히 다른 사람이 됐다는 건 분명 맞는 것 같습니다. 출발이 아주 좋은 편이죠. 하지만 여섯 가지 지침들은 곧바로 약효를 내는 만병통치약이 아닙니다. 지침들은 지속적인 실천을 통해서만 서서히 변화를 일으킵니다. 하지만 요즘 사람들은 빠른 결과만을 원하는 인스턴트식 사고에 익숙해져 있지요. 반면 인생이란 그런 것과는 거리가 멀거든요. 긴 호흡으로 인생을 살다 보면 단기적으로는 안 좋은 일 같아도 결국에는 더 좋은 결과를 가져오는 일도 있는 법이죠."

"더 자세히 얘기해주세요."

로저가 부탁했다.

"간단히 말하면 이런 겁니다. 단기적인 변화나 성과에 너무 집착해선 안 된다는 거죠. 그런 작은 것들에 연연하다 보면, 일이 조금만 잘못돼도 금세 뭔가를 탓하게 됩니다. 안 좋은 일도 생길 수 있다는 진리를 인정하기보다는 지침이 엉터리라고 생각해 원망하거나 주변 상황을 탓할 수도 있습니다. 그렇지만 이 지침들은 하루하루 겪게 되는 표면적인 사건 자체보다는 삶의 근본적인 태도를 변화시키기 위한 것들이거든요."

밥은 말을 마치고 로저를 바라보았다. 잠시 무거운 침묵이 흘렀다.

"하지만 사장님의 행동 중 정말 기뻤던 부분이 있습니다."

밥이 침묵을 깨며 입을 열었다.

"그게 뭐죠?"

로저가 물었다.

"오늘 이 자리에 나오신 거 말입니다. 지난주에 사장님께 부탁드렸던 건 이것 한 가지였고, 사장님께선 약속을 지켜주셨습니다."

밥이 미소를 지으며 말했다. 그제야 로저의 얼굴에도 미소가 퍼졌다.

"보여드릴 게 있어요."

로저는 양복 주머니에서 작은 오렌지색 스프링 수첩을 꺼내 흔들며 말했다. 밥이 항상 갖고 다니는 것과 똑같은 수첩이었다. 밥은 그 모습에 큰 소리로 웃음을 터뜨렸다.

"자, 준비 됐습니다. 이제 두 번째 지침을 얘기해주세요."

로저가 말했다.

"그러죠. 어디 보자."

인생이란
오래 담가둘수록 깊은 맛이 우러나는
차와 같습니다.
우리의 만남도
당장 눈앞에 보이는 효과를 기대하기보다
천천히 깊은 맛을 우려내기를 바랍니다.

밥은 어떻게 시작해야 할지 고민하는 듯 잠시 말을 멈췄다. 로저가 이때를 기다렸다는 듯 말을 꺼냈다.

"이제부터는 편하게 로저라고 부르세요."

로저의 말에 밥이 황급히 손사래를 쳤다.

"어이구! 안 됩니다. 청소부가 사장님 존함을 함부로 부를 수는 없지요."

그러나 로저도 물러서지 않았다.

"아닙니다. 로저라고 불러주세요. 저도 이제부터는 밥 아저씨라고 부를게요."

로저는 망설이는 밥을 보며 덧붙였다.

"진심입니다. 제게 많은 지혜를 일깨워주세요, 밥 아저씨."

밥은 침묵을 지키다가 로저의 눈을 물끄러미 바라보았다. 로저의 눈동자는 간절한 소망을 담고 있었다. 밥은 그 눈과 마주치자 빙긋 웃더니 입을 열었다.

"정 그러시다면 이제부터 로저라고 부르겠습니다."

밥의 말에 로저는 기쁜 듯 미소를 지었다. 그러나 곧 농담을 건네듯 말했다.

"말도 놓으셔야죠, 밥 아저씨."

두 사람은 마주 보며 크게 웃었다.

"그럼 이제부터 로저라고 부르겠네. 자네가 그토록 원하기도

하고, 또 그게 서로에게 편할 것 같다는 생각이 드는군. 지난주에 말했던 것처럼 앨리스 덕분에 일과 휴식을 균형 있게 조절할 수 있게 되었고, 그 후부터 일도 잘 풀리기 시작했지."

밥은 지난날을 회상하며 이야기를 시작했다.

"정말 희한한 일이었어. 전보다 힘을 덜 들이는데도 일은 훨씬 잘되는 거야. 그러던 중 첫 아이를 얻게 되었고 할 일은 더욱 많아졌지만 앨리스는 역시나 현명하게 잘 해냈다네. 그녀는 즐거운 마음으로 엄마 역할을 맡았고, 나 또한 행복한 가정을 갖게 된 것이 너무나 자랑스러웠어."

"어떤 기분인지 알 것 같아요. 저도 첫딸인 세라가 태어나던 날, 마치 구름 위에 떠 있는 것 같은 기분이었거든요."

로저가 공감하며 말했다.

"그렇지. 하지만 항상 기분 좋은 일만 있었던 건 아니야. 아기는 잔병치레를 할 때마다 밤낮으로 울어댔고, 나는 집에 돌아와서도 제대로 쉴 수가 없었지. 달래도 듣질 않으니 어찌해야 할지 모르겠더군. 하지만 앨리스는 역시 달랐어. 타고난 엄마였다네. 한 번도 그녀가 지친 모습을 본 적이 없어. 돌이켜보면 그때가 내 인생에서 가장 행복했던 시절이었던 것 같아. 밤이면 우리 두 사람은 가운데에 아기를 눕히고 나란히 누워서 시간 가는 줄도 모른 채 그 조그맣고 사랑스러운 생명을 바라봤다네.

아이가 조그만 소리를 낼 때마다 뭐가 그렇게 좋은지 연신 웃어 대면서 말이지. 어이쿠! 얘기가 옆길로 새버렸네. 아이들 얘기만 나오면 이렇다니까."

밥이 쑥스러운 듯 껄껄 웃었다.

"어쨌든 내가 전보다 훨씬 일을 잘 해내고 있다는 걸 회사의 윗분들이 인식하기 시작했다네. 중요한 계약을 맡는 족족 성사시켰고 실수라는 건 있을 수 없었지. 결국 승진을 제안받았네."

"정말 잘됐네요."

로저가 말했다.

"좋은 기회였지. 무척 기뻤어. 승진을 하게 되면 고정된 월급 대신 회사의 이윤에 따라 성과급을 받게 되니 전보다 책임감과 의욕이 더욱 커질 수밖에 없었고."

"남부럽지 않게 성공하셨네요."

"그런 셈이지. 하지만 고민되는 부분이 있었어. 첫째가 태어나기 직전에 앨리스와 나는 새 집으로 이사를 했다네. 물론 돈이 부족했으니 대출을 받아서 말일세. 그리고 대출금을 갚기 위해선 지출을 꼼꼼히 확인하면서 아껴 써야 했다네. 그건 정기적으로 월급을 받았기 때문에 가능한 일이었어. 그런데 하필이면 그런 때에 승진을 제안받은 거야. 제안을 수락하면 돈은 더 많이 벌 수 있지만, 문제는 그 수입이 정기적으로 들어오는 게 아니라는 점이었지. 매달 대출금 갚아야지, 아기가 태어나면서 늘어난 생활비 충당해야지, 걱정이 한두 가지가 아니었네."

로저는 고개를 끄덕이며 열심히 이야기를 들었다.

"물론 승진을 예상하고는 있었어. 그동안 맡은 일을 훌륭하게 해냈으니 그에 대한 금전적인 보상을 받을 자격은 있었지. 하지만 집안 상황을 생각하면 걱정부터 앞섰네. 시기가 안 좋았던 거지. 잘난 체하는 것처럼 들릴지도 모르지만, 그 당시엔 정말 그렇게 생각했다네."

"이해가 갑니다. 게다가 아기 때문에 밤마다 잠도 설쳤으니 머릿속이 더 복잡했겠죠."

"말이 나왔으니 말이지만, 첫애가 겨우 6개월쯤 됐을 때 앨리스는 둘째를 임신했다네."

밥은 그때의 당황스러운 기억을 떠올리는 듯 고개를 가볍게 흔들며 말했다.

"어쨌든 일 외에는 신경 쓸 것 하나 없이 살던 나는, 결혼한 지 3년 만에 세 아이의 아빠가 된 거야."

"꽤나 서두르셨네요."

로저가 짓궂게 말했다.

"앨리스가 아이를 무척 원했거든. 짧은 기간에 세 아이의 아빠가 되고 나니까 그만큼 힘든 일도 많았지만, 아이들이 어울려

노는 걸 보니 그런 건 말끔하게 사라지더군. 같은 또래여서 다른 집 아이들보다 훨씬 재미있게 지낼 수 있었던 것 같아. 집이 매일 시끌벅적했지."

"승진하신 뒤, 일은 어떻게 됐습니까?"

로저가 물었다.

"순조로웠다네."

밥이 대답했다.

"적응도 빨랐고 노력도 많이 했지. 목표보다 수익을 많이 올려서 보너스도 받았고."

밥은 그러나 조금 전의 즐거워하던 표정을 감추며 기운 빠진 목소리로 말을 이었다.

"하지만 곧 상사에 대해 불만이 생기기 시작했어. 나한테 너무 무리한 요구를 하는 것 같다는 생각이 들었지."

"정말이요?"

"솔직히 말하면 꼭 그런 건 아니었다네."

밥은 솔직히 인정했다.

"목표는 상호 합의 하에 결정된 것이었고 변화하는 상황에 맞춰서 매달 조절했으니까. 결국 나 스스로 결정한 것과 다름없었지. 문제는 내가 너무 무리한 목표를 잡았다는 거야. 그러다 보니 당연히 지칠 수밖에 없었고."

"아저씨가요? 뜻밖인데요."

로저가 눈을 동그랗게 뜨며 말했다.

"정말일세."

밥은 고개를 끄덕이며 말을 이어갔다.

"그러다 추수감사절에 드디어 일이 터지고 말았어. 그날 우리 가족은 처가에서 함께 저녁식사를 하고 있었지. 앨리스와 장모님이 칠면조 요리에 온갖 장식을 곁들여서 멋진 식사를 준비했어. 모두 즐거운 시간을 보내고 있었다네. 앨리스의 동생 부부는 그날 첫아이 임신 소식을 발표했고, 정말 흠잡을 데 없이 완벽한 가족 모임이었어. 그런데 우리 애가 포도주스 잔을 엎질렀고, 포도주스가 하얀 식탁보 위로 쏟아졌다네. 지금 생각해보면 별일도 아니었는데 그땐 왜 그랬는지……. 나는 벌떡 일어나서 애를 의자에서 내려놓았지. 그러곤 앨리스의 가족들이 모두 지켜보는 가운데 앨리스에게 이렇게 소리를 질렀어. '제대로 돌보지도 못할걸, 어쩌자고 셋씩이나 낳자고 그런 거야!' 하고 말이야."

"그럴 수가……."

로저의 입에서 저절로 한숨이 새어 나왔다.

"맞아. 나는 절대 하지 말아야 했을 말을 하고 만 거야. 앨리스는 하얗게 질렸고, 다른 사람들은 무슨 말을 해야 할지 몰라

어색한 침묵만 흘렀지. 그런데 정말 이상했어. 앨리스가 당황하는 모습을 보니까 더 화가 나는 거야. 제정신이 아니었던 것 같아. 나는 다시 그녀에게 상처가 될 말들을 쏟아내기 시작했어. 가족들을 먹여 살리느라 직장에서 얼마나 스트레스를 받고 힘들게 일하는지 아느냐며 숨도 안 쉬고 독설을 퍼부었지. 지금 생각하면 정말 부끄러운 일이야. 끔찍한 짓을 한 거지. 앨리스는 한마디도 하지 않고 아이들을 챙겨서 차에 태웠고 우린 곧장 집으로 향했어. 집에 오는 내내 누구 하나 말할 엄두를 내지 못했지."

"부인께서 화가 많이 나셨겠네요."

"그런 일을 겪고 기분이 좋을 수는 없겠지. 하지만 앨리스는 나와 함께 사는 동안 단 한 번도 내게 상처 주는 말을 한 적이 없다네. 대신 그녀는 다른 방식으로 내게 복수를 했지."

"어떻게 하셨는데요?"

로저가 궁금하다는 듯 물었다.

"내가 제일 좋아하는 셔츠에 글자를 새겨놨더군."

밥은 진지한 표정으로 대답했다.

"뭐라고요?"

로저는 웃음이 터지려는 것을 간신히 참으며 물었다.

"나는 금요일 점심 때마다 볼링을 쳤어. 일종의 정기 회의라고도 할 수 있었지. 볼링을 치면서 한 주를 정리하고 다음 주 계획에 대해 의논하곤 했거든. 볼링공과 운동복을 챙겨주는 건 항상 앨리스의 몫이었어. 추수감사절을 그렇게 보내고 난 후 처음으로 돌아온 금요일에도 역시 볼링장에 갔다네. 그런데 가방에서 옷을 꺼내는데 셔츠의 앞뒤에 글자가 수놓아져 있는 게 아닌가. 그렇다고 양복을 입고 볼링을 칠 수는 없고. 결국 앨리스가 계획한 대로 그 셔츠를 입을 수밖에 없었지. 물론 내가 그녀에게 했던 짓을 생각하면 그 정도 복수는 약과지만 말이야."

"뭐라고 새겨놓으셨던가요?"

"가족은 짐이 아니라 축복이다. 이게 앨리스의 두 번째 지침이라네. 나는 상사와 동료들 앞에서, 앞뒤로 이 글이 수놓아진 셔츠를 입고 볼링을 쳐야 했지."

로저는 잠시 밥을 뚫어지게 쳐다보다가 결국 참지 못하고 웃음을 터뜨렸고, 눈물이 맺힐 때까지 멈추지 못했다.

"그렇게 통쾌하게 웃을 줄은 몰랐네."

밥도 함께 웃으며 말했다.

"죄송해요."

로저가 호흡을 가다듬으며 말했다.

"정말 기막힌 아이디어네요."

"맞아. 사람들은 내가 왜 그런 셔츠를 입고 있는지 궁금해했고, 나는 추수감사절에 얼마나 큰 실수를 저질렀는지 고백했지. 그리고 앨리스는 화를 내는 대신 이런 방식으로 내게 하고 싶은 말을 한 것이라고 설명했다네."

밥이 한숨을 내쉬며 말했다.

"흥미로운 건, 그 자리에 모인 다른 사람들도 나와 비슷한 경험을 한 적이 있다는 거였네. 그들도 나처럼 스트레스를 받고 가족 때문에 무거운 짐을 져야 한다는 사실에 화를 냈었다고 하더군. 아마도 우리 세대가 모두 그런가봐. 가족이란 자신이 책임져야 할 짐이고, 식구들을 먹여 살리느라 고생고생하며 일해야 한다고 생각했던 거지."

"지금도 많은 사람들이 그렇게 생각해요."

로저가 말했다.

"그런 사고방식 때문에 문제가 생기는 거라네. 일을 그저 가족의 생계를 위한 수단쯤으로 생각하니 일하는 게 즐거울 리가 있겠나? 가족을 먹여 살리는 것이 일의 유일한 목적이라고 생각하는 순간, 일은 물론이고 가정생활도 어려워지기 시작하는 거지. 일이 힘들 때마다 당연히 가족을 탓하게 될 거고. 결국 우리는 앨리스의 말이 옳다는 것을 인정하게 됐어. 우리 생각이 잘못됐다는 걸 깨닫게 된 거지."

"그래서 어떻게 하기로 하셨어요?"

"간단하네. 가족을 짐이 아닌 축복으로 생각하기로 한 거야. 그렇게 생각을 바꾸었더니 식구들과 함께 있는 시간이 즐거워졌고, 편안한 마음으로 활기차게 일할 수 있게 됐다네. 가족을 부양하기 위해 어쩔 수 없이 일해야 한다는 생각을 버릴 수 있었으니까. 일을 하는 진짜 목적도 찾을 수 있었지."

"그게 뭘까요? '일을 하는 진짜 목적' 말입니다."

로저가 물었다.

"그건 스스로 찾아야지."

밥은 수첩을 다시 셔츠 주머니에 넣으며 말했다.

"사람마다 다를 테니까 말일세. 우선 가족을 책임지기 위해 회사에 나온다는 생각부터 버려보면 어떨까. 그 다음에 자신에게 물어보는 거야. '내가 이곳에서 일하는 진짜 이유는 무엇일까' 하고 말이지."

"전 잘 모르겠어요."

"자네는 분명 알고 있을 거야. 단지 잠시 잊고 있을 뿐이지. 시간을 갖고 천천히 생각해보게나. 해답을 알게 되는 순간, 의욕이 되살아날 거야. 일이 전처럼 재미있고 의미 있게 느껴지겠지. 일의 진정한 목적을 깨닫고 그것을 위해 노력하는 사람에게 일은 더 이상 일처럼 느껴지지 않는 법이거든."

"아저씨는 일의 목적을 찾으셨나요?"

로저가 물었다.

"시간이 좀 걸리기는 했지만 찾았다네."

"그게 뭐였어요?"

"자네 스스로 답을 구한 후에 얘기해주겠네. 내 얘기를 미리 들으면 스스로 답을 찾는 데 방해만 될 테니 말야. 나는 지금도 그 목적을 이뤄가고 있다네. 지금 이렇게 자네와 마주하고 이야기하는 순간에도 말이야."

밥은 자리에서 일어나 청소를 시작할 준비를 했다.

"차 잘 마셨네. 그럼 다음 주 월요일에 다시 만날까?"

"물론이죠."

로저가 대답했다.

"아, 한 가지만 더."

밥이 걸음을 멈추고 뒤돌아보며 말했다.

"일의 목적을 깨달은 다음부터는 하루 일과를 마치고 나서 만족스러운 기분으로 퇴근하게 되었다네. 덕분에 집에 가서도 마음 편히 쉴 수 있었고, 가족과 함께하는 시간도 한층 즐거워졌지. 앨리스의 말이 옳았어. 가족은 내게 가장 큰 축복이야. 과거에도 그랬고 지금도 그렇고 앞으로도 그럴 거네."

밥이 휴게실을 나간 후 로저는 오늘 배운 두 번째 지침을 수첩에 조심스럽게 써내려갔다.

두 번째 지침: 가족은 짐이 아니라 축복이다.

　　로저는 자리에서 일어나 다시 사장실로 돌아왔다. 그런데 그
곳에서는 달린이 세라와 베카를 데리고 그를 기다리고 있었다.
그는 무슨 일이 일어난 건 아닌지 가슴이 철렁 내려앉았다.

샌드위치 신세

로저가 사장실에 들어서자마자 세라와 베카가 기다렸다는 듯 달려와 다리에 매달렸다. 로저는 몸을 숙여 아이들에게 키스하고는 아내를 바라봤다.

"무슨 일 있어?"

로저가 물었다.

"아니, 왜?"

"그냥…… 회사에 잘 안 오잖아. 무슨 급한 일이라도 생긴 줄 알았지."

"연락 없이 와서 놀랐나 보네? 미안해."

달린이 말했다.

"휴대폰이 꺼져 있어서 미리 전화를 못 했어. 애들이 아빠랑

청소부 밥

같이 저녁 먹고 싶다고 해서 말야. 세라가 이번 소프트볼 경기에서 투수를 맡게 됐거든."

"그래?"

로저는 세라의 옆구리를 살짝 간질이며 말했다.

"우리 아가씨가 대단한 일을 해냈구나."

"그만, 아빠! 간지러워요!"

세라가 깔깔대며 말했다.

"아빠도 같이 저녁 먹으러 갈 수 있는 거지?"

베카가 졸라댔다.

"같이 가."

"글쎄……."

로저는 아직 읽지 못한 이메일과 보고서들이 수북하게 쌓여 있을 것을 생각하며 잠시 망설였다. 그러나 이내 활짝 웃으며 대답했다.

"당연하지. 가족 파티에 아빠가 빠질 수야 없지."

"우와~ 신난다!"

아이들은 깡충깡충 뛰며 기쁨을 감추지 못했다. 차에 올라탄 후 로저가 물었다.

"어디로 모실까요, 공주님들?"

"아, 미리 얘기한다는 걸 깜빡했네. 오늘은 세라를 축하하기 위한 자리니까 당연히……."

"피자, 피자! 피자 먹으러 가요!"

뒷자리에 앉은 아이들이 합창하듯 소리쳤다.

"대신 오늘은 샐러드도 많이 먹기로 약속했어. 불평하지 않기로 말이야."

달린이 말했다.

"그래야지. 운동선수가 피자만 먹으면 쓰나. 신선한 야채도 많이 먹어야지."

로저도 거들었다.

그들은 밝은 분위기의 이탈리아 레스토랑에 들어가 자리를 잡았다. 빨간색과 하얀색의 체크무늬 테이블보로 덮여 있는 테이블 위에는 생기 가득한 꽃송이가 은은한 향기를 풍기고 있었다.

베카는 자리에 앉더니 바로 옆에 빈 의자 하나를 끌어다놓았다. 레스토랑 종업원이 아이들을 위해 색칠놀이 책과 색연필을 가져다주면서 베카 옆의 빈 의자를 치우려고 하자 베카가 다급하게 소리쳤다.

"안 돼요. 척의 자리예요."

종업원이 당황스러운 얼굴로 바라보자 달린이 설명했다.

"상상의 친구예요."

청소부 밥

"아, 그렇군요."

종업원은 그제야 상황을 이해했다는 듯 베카에게 눈을 한 번 찡긋하더니 물었다.

"척에게도 색칠놀이 책을 한 권 가져다줄까?"

"잠깐만요, 물어볼게요."

베카는 빈 의자 쪽으로 몸을 기울이고 잠시 가만있더니 이내 대답했다.

"척이 그러는데요, 자기는 이제 다 커서 그런 거 안 한대요. 어쨌든 신경 써주셔서 고맙다고 전해달래요."

"그럼 주문하신 음료수부터 곧 준비해드리겠습니다."

종업원은 미소를 지으며 자리를 떠났다.

달린은 로저를 바라보며 어깨를 으쓱해 보였다. 그들은 척이 베카 또래이거나 베카보다 어린 남자아이일 거라고 생각했던 것이다. 로저가 달린에게 몸을 기울이며 낮은 목소리로 말했다.

"그렇다면 척은 대체 몇 살인 거지?"

"나도 모르겠어."

달린이 대답했다.

"베카한테 한번 물어볼까?"

"글쎄, 오늘은 그냥 조용히 넘어가는 게 더 좋을 것 같아."

달린이 여전히 작은 소리로 대답했다.

달린은 '척 문제' 때문에 마음이 불편해졌고, 로저는 아이들 일에 좀더 신경 쓰지 못했던 자신이 부끄러워졌다. 그는 앞으로 이 문제에 관심을 갖기로 결심하고 일단 화제를 돌리려고 입을 열었다.

"세라, 시합은 언제니?"

"목요일 오후예요."

세라는 주저하는 목소리로 말을 이었다.

"아빠, 혹시⋯⋯."

"세라."

달린이 부드러운 목소리로 세라의 말을 가로막았다.

"아빠는 일하고 계실 시간이잖니."

"약속할 수는 없지만 가보도록 노력할게."

로저는 세라가 무슨 말을 하려는지 알아채고 대답했다. 이 말에 세라와 베카는 활짝 웃는 얼굴이 되었지만, 달린은 마뜩지 않다는 표정으로 로저를 바라보았다.

"왜 그래?"

로저는 아이들이 색칠놀이에 열중하고 있는 틈을 타 낮은 목소리로 달린에게 물었다.

"알면서 그래."

달린이 대답했다. 로저는 여전히 의아한 눈빛으로 달린을 바라봤다.

"그렇게 말해놓고 안 오면 세라가 얼마나 실망할지 알기나 해? 지난번에 자기가 약속 못 지켰을 때를 생각해봐."

달린 역시 낮은 목소리로 말했다.

"걱정 마. 이번에는 절대 그런 일 없을 거야."

로저는 달린의 손을 살며시 잡으며 부드럽게 말했다. 달린의 표정에선 여전히 의심이 가시지 않았지만, 그녀 역시 로저의 손을 뿌리치지는 않았다. 로저는 그녀의 손을 꼭 잡고 눈을 바라보며 다시 한번 말했다.

"이번에는 약속 꼭 지킬게."

드디어 주문한 음식이 나왔다. 종업원은 개인 접시 옆에 샐러드 그릇을 하나씩 놓고, 김이 모락모락 올라오는 피자를 테이블 중앙에 내려놓았다. 아이들은 웃음이 가득한 얼굴로 저녁을 먹기 시작했다. 로저는 정말 오랜만에 가족들과 즐거운 시간을 만끽할 수 있었다.

그는 처리해야 할 일이 남아 있었기 때문에 다시 회사로 들어가야 했지만, 가족들과 단란한 시간을 함께한 덕분에 죄책감 없이 가벼운 기분으로 헤어질 수 있었고 달린의 얼굴에도 싫은 기색은 보이지 않았다. 달린은 마음껏 웃고 떠들고 난 뒤 곤히 잠든 두 딸을 차에 태우고 집으로 돌아갔다.

* * *

목요일 오후, 로저는 예상치 못한 사건으로 골머리를 앓고 있었다. 예정에 없던 손님 네 명이 갑자기 들이닥친 것이다.

"크로킷스틸에서 오셨답니다."

비서 베키가 어색한 미소를 지으며 그들의 명함을 건네주었다. 명함에는 품질감사회사의 로고가 선명하게 찍혀 있었다.

"안녕하세요? 품질감사 때문에 왔습니다."

그들 중 한 명이 로저에게 악수를 청하며 말했다.

"네?"

로저가 눈을 크게 뜨고 물었다. 로저는 베키를 바라보았다. 이렇게 중요한 약속을 해놓고 까맣게 잊고 있었던 걸까? 그러나 베키는 아무 말 없이 고개를 살짝 가로저으며 어깨를 으쓱해 보였다. 로저는 잠시 생각하다가 입을 열었다.

"뭔가 착오가 있는 것 같습니다. 저희는 품질감사를 신청한 적이 없습니다."

"크로킷스틸에서 지시한 겁니다. 여기 서류를 가져왔으니 확인해보시죠."

감사팀이 말했다.

"베키, 크로킷스틸의 바튼 우즈 회장님과 전화 연결 좀 해줄

래요?"

다급해진 로저가 베키를 돌아보며 말했다.

"한두 시간이면 충분합니다, 킴브로우 씨."

감사팀 중 한 명이 이런 식의 대접이 영 마음에 들지 않는다는 듯 연신 넥타이를 만지작거리며 말했다.

"오늘 저희가 방문하는 걸 알고 계시는 줄 알았는데요."

"아뇨, 전혀 모르고 있었습니다."

로저가 대답했다.

"게다가 지금은 다른 일로 너무 바빠서 도저히 감사를 받을 수 없습니다."

때마침 비서 베키가 크로킷스틸 회장과의 전화 연결에 성공했고, 로저는 수화기를 집어 들고 상황을 설명했다.

"복잡한 일은 아니야. 걱정 말게나."

요란한 소음 속에서 바튼 우즈 회장의 목소리가 들려왔다.

"서류 몇 장만 작성해주면 나머지는 우리 팀원들이 다 알아서 할 거야. 걱정 붙들어 매라고."

"그건 알고 있지만, 적어도 하루 전에는 연락을 주셨으면 좋았을 텐데요."

로저가 말을 이었다.

"감사는 다음 주 월요일에 받으면 안 되겠습니까? 지금은 아무래도 힘들 것 같습니다."

"자네 쪽 상황은 알지만 우린들 어쩌겠나? 우리가 ISO(국제표준화기구 – 역주) 인증을 받기 위해 불철주야 노력 중인 건 알고 있지? 동유럽의 거래업체들 가운데 유럽연합에 가입한 나라의 회사들은 지금 많은 변화를 겪고 있다네. 새로운 질서에 편입하느라 고군분투하고 있지. 우리는 경쟁에서 앞서기 위해 한시라도 빨리 인증을 받아야만 해. 로저 자네도 알고 있겠지만 말이야. 어쨌든 우린 모두 한 배를 탄 운명이 아니겠나?"

"그야 물론 그렇죠."

로저가 대답했다.

"하지만 아시다시피 저희 회사는 이미 ISO 인증을 받은 상태입니다. 크로킷스틸의 ISO 인증을 위한 감사를 위해서 인력을 빼내기도 힘든 상태고요. 게다가 저도 집안일 때문에……."

다시 한번 수화기 건너편에서 거친 소음이 들려왔다.

"연결 상태가 좋지 않은 것 같네요."

로저가 말했다.

"지금 공항이라서 그래. 그럼 협조 부탁하네. 오늘 감사를 마무리할 수 있도록 도와주게. 그냥 단순하게 생각하자고."

"하지만……."

로저가 항변하려 했으나 전화는 이미 끊어진 상태였다.

그는 시계를 봤다. 밖에는 품질감사단이 기다리고 있고, 조금 후면 세라의 소프트볼 경기가 시작될 것이다. 달린은 이런 상황을 예상하고 있었던 것일까? 그녀의 걱정스러운 목소리가 귓가에 맴돌았다.

'그렇게 말해놓고 안 오면 세라가 얼마나 실망할지 알기나 해? 지난번에 자기가 약속 못 지켰을 때를 생각해봐.'

로저는 이런 당황스러운 상황을 달린이 과연 이해해줄지 걱정이 들었다. 이건 분명 로저의 잘못은 아니었다. 전혀 생각지 못한 일이 하필이면 이런 때 생기다니! 그러나 일은 이미 벌어졌고, 이제 결정은 자신에게 달려 있다는 것을 로저는 잘 알고 있었다.

* * *

"좋았어, 세라! 할 수 있어!"

7 대 7 동점 상황에서 타석에 들어서는 일곱 살배기 딸을 바라보며, 로저는 흥분된 목소리로 소리쳤다.

세라는 아빠를 향해 미소를 지어 보이고는 투수가 공을 던지기를 기다렸다. 그리고 초구를 정확하게 쳐냈다. 세라가 친 공은 유격수의 키를 훌쩍 넘겼고 결국 승점을 기록했다. 경기가 끝나자 세라는 흥분을 감추지 못한 채 아빠에게 달려와 안겼다. 로저는 자랑스러운 딸을 꼭 안아주었다.

"아빠, 봤어요? 제가 치는 거 봤어요?"

세라는 들뜬 목소리로 물었다.

"그럼! 봤고말고! 정말 멋진 장면이었어."

로저는 딸을 번쩍 들어 올렸다.

"재미있었니?"

세라는 고개를 끄덕이고는 주위를 깡충깡충 뛰어다녔다. 그 때 코치가 다가와 로저에게 말했다.

"다행히 시간을 내셨군요, 킴브로우 씨. 세라가 아빠가 오신다고 아이들에게 자랑을 많이 했답니다."

"아주 멋진 경기였어요."

로저는 어린 선수들이 모여 있는 곳을 향해 고개를 끄덕이며 말했다.

"어린 아이들인데 대단하죠? 특히 세라는 정말 뛰어난 선수예요. 절대 포기라는 걸 모르죠. 사실 두 번이나 선발에서 탈락했는데 혼자 연습해서 투수 자리를 따냈답니다. 저도 그런 끈기를 본받고 싶네요."

로저는 처음 듣는 이야기에 약간 당황했다. 세라는 왜 선발에서 탈락했다는 얘기를 한 번도 하지 않았을까? 그런 실망감을

청소부 밥

가족을 짐이 아닌 축복으로 생각하게 되자
가족과 함께 있는 시간도
일을 하고 있는 시간도
모두 즐거워지기 시작했죠.

혼자 감당해냈을 것을 생각하니, 한편으로는 어른스러움이 기특하면서도, 또 한편으로는 좋은 아빠가 되어주지 못한 것에 대한 죄책감이 들었다.

'난 그때 어디에 있었던 걸까? 나는 지금까지 어떤 아빠였던 거지?'

로저는 차로 돌아가 달린의 손을 살며시 잡고 두 딸이 뛰노는 모습을 가만히 바라봤다. 그때 문득 밥의 지침이 떠올랐다. 그는 이제야 그 의미를 이해할 수 있을 것 같았다. 가족은 그에게 진정한 축복이었다. 그런데도 여태껏 그 축복을 짐으로 생각하고 있었다니. 그는 더 이상은 그런 실수를 하지 않겠다고 다짐했다.

하지만 휴대폰 음성메시지를 확인하는 순간, 그런 다짐은 허무하게 무너져 내렸다. 메시지 중 다섯 개는 그와 오랜 시간 동고동락해온 자금관리이사 프레드 호퍼가 남긴 것이었다.

로저는 세라의 경기를 보기 위해 크로킷스틸의 품질감사단을 프레드에게 떠넘기고 도망치듯 회사를 빠져나왔던 것이다. 감사단은 분명 프레드를 잡아먹을 듯 볶아댔을 것이다. 그렇지 않고서야 그가 이렇게 여러 번 메시지를 남겼을 리가 없었다.

'그놈의 감사를 어떻게든 다음으로 미루고 왔어야 하는 건데……'

로저는 불길한 예감을 떨치지 못한 채 사무실로 향했다.

밥의 지침들은 이론적으로는 완벽하다. 하지만 실제 생활에서 과연 그것을 실행할 수 있을까? 직장 일만 해도 숨이 차는데 가정에까지 정말 최선을 다할 수 있을까?

오늘 일만 해도 그랬다. 겨우 두 시간 자리를 비웠을 뿐인데 회사에서는 난리가 났다. 그렇다고 회사를 선택했더라면 아마 집에서 난리가 났을 것이다. 로저는 그야말로 가정과 회사 사이에 끼어 이러지도 저러지도 못하는 샌드위치 신세였다.

한가롭게 청소 일이나 하고 있는 밥이 지금 이런 상황을 대체 알기나 하고 그런 지침을 이야기한 것일까?

불평하기 전에

밥은 다시 한번 시계를 보고는 손가락으로 머그잔을 톡톡 두드렸다. 로저가 약속 시간이 지나도록 오지 않았기 때문이다. 사실 이런 상황을 예상하지 못했던 건 아니었다. 더 정확히 말하면, 밥은 오늘 로저가 나타날지조차 의문이었다.

15분쯤 지났을까, 휴게실 문이 활짝 열리며 로저가 들어왔다.

"로저."

밥이 말했다.

"자네, 왔군."

"늦어서 죄송해요."

로저가 자리에 앉으며 말했다.

"하지만 약속드린 대로 이렇게 왔습니다."

두 사람은 김이 모락모락 나는 머그잔을 사이에 두고 마주 앉았다.

"무슨 문제라도 있었나?"

밥이 물었다.

"네, 골치 아픈 일이 있었어요. 하지만 이 일과는 전혀 상관없는 것이니 신경 쓰지 않으셔도 됩니다."

로저가 대답했다.

"친절하게 대해주신 것 정말 감사드립니다. 가르쳐주신 지침도 훌륭했고요. 그런데 그 지침들이 저에게는 잘 안 맞는 것 같아요."

"왜 그렇게 생각하지?"

"뭐랄까…… 전 이미 틀린 것 같습니다. 상황을 바꾸기에는 너무 늦어버린 거죠. 이번 주에는 '재충전' 할 여유조차 없었어요. 딸아이 소프트볼 경기를 보러 가는 바람에 회사에서는 난리가 났고요. '가족은 짐이 아니라 축복이다.' 분명 맞는 말입니다. 하지만 한쪽을 신경 쓰면 다른 한쪽에서 꼭 문제가 생기고 말더군요."

로저는 지난 목요일의 숨 가쁜 상황을 밥에게 설명했다. 거래업체에서 불시에 품질감사단을 파견했던 일이며, 사무실에서

도망간 자신을 찾기 위해 직원들이 총동원되었던 급박했던 하루를 설명하는 동안, 밥은 때때로 고개를 끄덕이기도 했다.

"이제 정말 어쩔 수 없나 봐요."

로저는 완전히 포기한 듯 이야기를 끝맺었다.

"일에 매달리다가 아내에게 이혼당하거나, 집안일을 챙기다가 성난 주주들로 인해 사장 자리에서 쫓겨나거나, 둘 중 하나가 되겠죠."

"둘 다가 될 수도 있고."

밥이 재빨리 말을 받았다. 로저는 약간 놀란 얼굴로 밥을 쳐다보았다.

"지금보다 안 좋은 상황도 충분히 있을 수 있다네."

밥이 천장을 바라보며 말을 꺼냈다.

"내가 가족은 짐이 아니라 축복이라는 것을 깨닫고 난 후, 일은 더욱 잘 풀려갔지. 우린 독일 과학자가 발명한 의료기구의 독점생산 계약을 눈앞에 두고 있었어. 전 세계가 주목하는 세기의 발명품이었지. 그 계약만 잘 체결되면 우리 회사는 5년 동안 다른 일 없이도 충분한 수익을 올릴 수 있었다네. 외국으로 진출할 수 있는 기회도 활짝 열려 있었고. 우린 그 계약에 필요한 모든 조건을 갖췄고, 모두가 회사 창립 이래 최고의 계약을 성사시킬 수 있다고 확신했지. 일은 순조롭게 진행됐어. 제품 발명가가 보내온 제안요청서에 대한 우리 측 제안서만 보내면 그 다음은 편하게 돈 버는 일만 남아 있는 상태였다네. 물론 가정 생활도 더할 나위 없이 행복했고 말이야."

"그런 완벽한 순간에는 꼭 방해꾼이 등장하기 마련이죠."

로저가 말했다.

"맞아. 제안서를 처리하기로 한 바로 그날, 나는 갑자기 병원에 실려갔다네. 병명도 모른 채 이틀을 침대에서 끙끙 앓기만 하다가 검사결과가 나왔는데, 당뇨병이 심하다고 하더군."

"저런, 그런 일이 있었군요."

로저가 안타까워하며 말했다.

"결국 제안서는 공중에 떠버렸고 그러는 사이 마감일이 지나버렸지. 엄청난 기회가 바로 코앞에 있었는데 어이없이 놓쳐버린 거야. 회사 전체가 큰 실망에 빠졌지. 나는 그런 시련을 안겨준 운명을 원망하며 하루하루를 보냈고."

"그 다음은 누가 등장할지 알 것 같네요. 부인께서 상황을 반전시킬 조언을 해주셨겠죠?"

로저가 장난기 어린 표정으로 말했다.

"어떻게 알았나?"

밥이 웃음을 터뜨리며 대답했다.

"텔레비전 드라마 같은 얘기지만 이번에도 앨리스가 날 구했다네. 병원에 입원해 있는 동안 그녀는 내 방으로 아름다운 꽃 한 다발과 풍선을 보냈는데 그 사이에 카드가 한 장 있더군."

"거기에 세 번째 지침이 적혀 있었고요?"

로저가 물었다.

"그렇지. 그런데 로저, 실례가 되지 않는다면 사적인 질문을 하나 해도 될까?"

밥이 조금 머뭇거리며 물었다.

"물론이죠. 말씀하세요."

로저는 뭐든 문제없다는 듯 미소를 지었다.

"혹시 종교가 있나?"

밥의 질문에 로저는 잠시 아무 말이 없었다.

"곤란하면 대답하지 않아도 된다네."

"아닙니다. 괜찮아요."

로저가 말했다.

"기독교예요. 세례 받던 날도 기억하는걸요."

"그래?"

밥이 미소 지었다.

"그럼요, 아주 생생하게 기억하죠. 열두 살 때였어요. 여름캠 프에 갔었는데 아이들이 한 여자아이를 에워싼 채 놀리고 있었 어요. 키가 크고 마른 소녀였는데 아이들은 성냥개비니 나무젓

가락이니 짓궂은 별명을 불러대며 그 아이를 괴롭히고 있더군요. 그때 또 다른 아이들 네 명이 나타났어요. 남자애 두 명과 여자애 두 명이었는데 그 마른 여자애를 놀린 아이들을 몰아내고는 그애를 따뜻하게 위로해주는 거였어요. 전 그 아이들의 행동에 감동받았고, 그들에게 제 느낌을 솔직히 이야기했어요. 그랬더니 자기들은 당연히 해야 할 일을 한 것뿐이라고 말하더군요. 그리고 그들이 기독교인이라는 걸 알게 됐어요. 그들은 제게 하나님과 자기들이 다니는 교회에 대해서도 얘기해줬어요. 이야기를 듣다 보니 다 맞는 말 같더라고요. 그래서 저도 하나님을 믿고 싶은 마음이 생겼죠. 기도라는 것도 그날 처음 해봤어요. 물론 그 후로는 신앙생활을 충실하게 하지 못했지만요. 대신 다른 걸 얻긴 했는데……."

"그 마른 여자아이 얘기로군."

밥이 눈을 찡긋하며 말했다.

"그 소녀는 날이 갈수록 예뻐지더니 결국 고등학교 졸업파티에서 퀸이 됐어요. 아무도 상상하지 못했던 일이었죠."

"지금도 친하게 지내나?"

밥이 장난기 다분한 웃음을 지으며 물었다.

"그럼요, 매일 같은 침대에서 자는걸요."

로저가 겸연쩍게 대답했다.

"이런! 정말 아름다운 러브스토리구먼."

"그땐 정말 좋았었는데……."

로저가 말했다.

"지금도 서로 사랑하지 않나."

밥의 말에 로저는 잠시 생각에 잠긴 듯 입을 다물었다.

"지금은 그렇다 쳐도 앞으로 어떻게 될지가 걱정이에요."

밥과 로저는 약속이라도 한 듯 입을 굳게 다물고 차를 한 모금 마셨다.

"참, 당뇨병 진단을 받았다고 하셨잖아요. 지금은 괜찮으신가요?"

로저가 침묵을 깨고 물었다.

"크게 걱정할 정도는 아니야."

밥은 급히 손을 내저으며 대답했다.

"다행히 좋은 의사를 만났고 아내도 정성을 다해 날 간호했다네. 나는 그냥 시키는 대로 따르기만 하면 됐어. 의사 말대로 생활습관을 바꾸고 평소에도 건강상태를 꼼꼼히 체크했지. 물론 앨리스의 지침도 잘 지켰고."

"어떤 지침이었죠?"

로저가 물었다.

"꽃다발과 풍선 사이에 꽂혀 있던 카드에는 이렇게 적혀 있더군. 투덜대지 말고 기도하라."

그 말에 로저는 갑자기 웃음을 터뜨렸고, 몇 분 동안 실컷 웃은 후에야 간신히 진정할 수 있었다.

"죄송합니다."

로저가 숨을 가다듬으며 말했다.

"아저씨 때문에 웃은 건 아니에요. 지금 제 모습이 너무 우습게 여겨져서요. 그 지침을 들으니 딱 제 얘기인 것 같네요. 항상 불평불만을 일삼으면서 투덜대고만 있으니⋯⋯."

"그렇다면 앨리스의 지침이 자네에게 안 맞는다는 생각은 틀린 거로군."

이번에는 밥이 웃음을 터뜨렸다.

"그분은 정곡을 찌르는 재주가 있는 것 같습니다."

로저가 자신의 오렌지색 수첩을 손에 쥐면서 말했다.

"맞아."

밥도 동의했다.

"그래서 회사 일은 어떻게 됐어요?"

로저가 물었다.

"모두들 계약이 성사되지 않아 실망했지만, 고맙게도 그보다는 내 건강을 더 염려해줬지. 건강이 회복되고 있다는 소식에 다들 기뻐했으니까. 그리고 몇 달 후 그 계약을 가로채갔던 경쟁사가 제품 개발에 엄청난 돈을 투자했는데 소송에 휘말리는 바람에 계약 자체가 무효화됐다는 소식이 들려왔다네. 특허권 싸움이 너무 치열하고 복잡해지자 법원에서는 제품 개발을 영원히 중단시켜버린 것이지. 결국 투자한 돈만 고스란히 날린 셈이 되었다네.”

“그럼 제안서를 보내지 못했던 게 결과적으로는 잘된 일이었네요?”

로저가 말했다.

“그렇지. 물론 병원에 실려갈 당시에는 일이 그렇게 될 줄 상상도 못 했다네. 중요한 기회를 망쳐버렸다고 자책했으니까. 하지만 보라고! 인생사 새옹지마라고, 당장은 실패처럼 보이는 일이 나중에 더 큰 성공을 가져다줄 수도 있는 법이라네.”

“값진 경험에 좋은 교훈까지 들려주시니 정말 고맙습니다.”

로저가 고개를 숙여 보이며 말했다.

“고맙긴. 내 얘기가 조금이라도 도움이 된다면 나야말로 자네한테 고마워해야지. 자네가 내 인생의 목적을 달성할 수 있게 도와주고 있으니까. 나는 앨리스에게 너무나 소중한 것들을 배웠고, 그걸 필요로 하는 사람이라면 누구에게든 그 가르침을 전하겠다고 그녀에게 맹세했거든.”

“저에게 정말 필요한 지침들이에요.”

로저는 자신의 오렌지색 수첩을 톡톡 두드리며 말했다.

"자네도 언젠가 다른 사람에게 이 지침을 전할 기회를 갖게 될 거야."

그 순간 로저의 표정이 갑자기 어두워졌다.

"전 정말 이기적인 사람인가 봅니다. 이렇게 까맣게 잊고 있을 수가……."

"무슨 일인가?"

밥이 물었다.

"옆집에 새로 이사 온 사람이 벌써 몇 주째 차 한 잔 하자고 하는 걸 여태 시간을 못 내고 있었어요. 얼마 전 사업을 시작했다면서 제게 뭔가 도움을 청하고 싶어 하는 눈치였는데, 전혀 생각을 못 하고 있었네요."

"너무 자책하지 말게나. 그동안 정신없이 바쁘지 않았나."

밥이 위로하듯 말했다.

"게다가 부탁을 거절한 것도 아니고, 마음만 먹으면 지금이라도 보러 갈 수 있지."

밥의 말에 로저의 표정이 다시 밝아졌다.

"맞아요. 그 사람을 꼭 만나봐야겠습니다. 어쩌면 그 사람에게 이 지침들을 전할 수 있을지도 모르겠네요."

"좋아. 그런 식으로 하나씩 늘려가서 앨리스의 지침을 퍼뜨

려주게나."

밥이 껄껄 웃으며 말했다.

"그리고 이제부터는 진짜로 투덜대지 말아야겠어요."

로저가 말했다.

"그것도 중요하지만 기도를 하는 것도 잊지 말게."

"하지만 기도는 하려고 해도 솔직히 어떻게 해야 할지 모르겠습니다. 해본 지 워낙 오래돼서요."

로저가 곤란한 얼굴로 말했다.

"자네에게 새로운 힘을 불어넣어 달라고 기도하게. 그리고 회사나 집에서 벌어지고 있는 문제들을 바로 볼 수 있는 혜안을 달라고 부탁하는 거지."

"더 자세히 말씀해주세요."

"간단히 말해서 지금 자네가 겪고 있는 문제들을 제대로 파악할 수 있는 통찰력과 그 문제를 효율적으로 해결할 수 있는 지혜를 달라고 기도하는 걸세. 회사 문제나 가정 문제 모두 마찬가지지. 문제의 근본을 찾아내지 못한다면 아무것도 할 수 없다네. 아무리 노력해봤자 문제는 해결하지 못하고 좌충우돌하다가 힘만 더 들게 되지. 그러니 제일 먼저 필요한 건 문제를 올바로 파악할 수 있는 능력을 구하는 거라네. 그런 다음에는 그 문제에 맞는 적절한 행동을 취하는 거지. 바로 이 순간에 지혜가 필요한 것이고. 자네 입장에서는 한 가지가 더 필요하겠군. 다정한 남편, 좋은 아빠가 될 수 있는 기회를 다시 한번 달라고도 기도해보게나."

로저는 밥의 이야기에 내심 걸리는 게 많았다. 달린은 식구들이 다 함께 교회에 가기를 원했지만, 로저는 그녀의 소망을 들어준 적이 없었다. 결국 달린은 아이들만 데리고 교회에 다녀오곤 했고, 로저에게는 그와 관련된 얘기를 한마디도 꺼내지 않았다. 로저 또한 언제나 바쁘다는 핑계로 외면해왔다.

"하나만 더 얘기하지. 할 일이 넘쳐날 때도 기도를 해보게나. 더 중요하고 집중해야 하는 일과 그렇지 않은 일을 구분할 수 있는 통찰력을 얻어 현명한 선택을 할 수 있게 될 거야. 그래서 결국에는 인생 전체에서 진정한 가치를 갖는 것들과 단순히 한순간 중요하고 급해 보이는 일들을 구분해낼 수 있게 되지. 이 모든 게 기도를 통해서 시작되는 거라네."

로저는 고개를 끄덕이며 밥의 말에 귀를 기울였다.

"기도해본 지 오래되었다고 하니 지금 당장 시작해보는 건 어떻겠나? 기도는 따로 시간을 내어 하는 게 아니니까 말일세."

밥이 두 손을 모아 깍지를 끼며 말했다.

"네."

로저는 밥의 갑작스러운 제안에 어색해하며 두 손을 모았다.

밥은 잠시 침묵하고 있다가 낮고 부드러운 목소리로 기도를 시작했다. 로저도 낮은 목소리로 기도를 했다.

세 번째 지침: 투덜대지 말고 기도하라.

"어때? 별로 힘들지 않지?"

기도를 마치고 밥이 물었다.

"네. 기분이 한결 나아지는데요."

로저가 솔직히 인정했다.

"어려울 것 없네. 가장 친한 친구와 끊임없이 대화한다고 생각하면 돼."

밥이 말했다.

"하나님께서는 언제나 우리 기도에 귀를 기울여주시니까. 그냥 마음을 편하게 갖고 그분께 모든 걸 맡겨보게."

밥은 자리에서 일어서더니 다시 자신의 임무에 충실하려는 듯 머그잔을 집어 들고 싱크대로 향했다.

"그럼 다음 주 월요일에 다시 뵐게요."

로저가 말했다.

"물론이지."

밥이 대답했다.

휴게실을 나서는 로저의 귓가에 귀에 익은 오페라의 한 소절이 들려왔다. 밥이 베르디의 「일 트로바토레」에 등장하는 곡을 부르고 있었다.

"미제레 둔알마 지아 빈치아 알라 파르텐자…… 여행을 떠나는 자에게 자비를 베푸시옵소서."

즐거움을 찾아서

로저가 사장실로 돌아와보니 자금관리 이사 프레드 호퍼가 그를 기다리고 있었다. 프레드는 로저의 가장 친한 친구이면서 트리플에이 창사 이래 힘들고 어려운 시간을 함께 보낸 소중한 동료였다.

"아직 퇴근 안 했나?"

로저가 물었다.

"문제가 좀 생겼어."

프레드가 대답했다.

"말 안 해도 알겠군. 크로킷스틸 얘기지?"

로저가 한숨을 내쉬며 말했다.

"조금 전에 그쪽 구매 담당자가 보낸 메일을 확인했는데 자기들과 계속 거래를 하려면 전체 가격을 12퍼센트 하향 조정하라고 하는군. 미리 들은 얘기라도 있나?"

"전혀."

로저가 클립을 집어 들며 대답했다.

"감사단이 들이닥쳤던 날에도 크로킷스틸 회장과 통화를 했는데 그런 얘기는 전혀 없었어. 가격인하를 요구하는 근거는 뭐라고 하던가?"

"그 부분에 대한 언급은 없던데. 그래서 담당자한테 전화를 걸었더니 JKM 메탈워크에서 우리보다 훨씬 낮은 가격으로 계약을 제안했나봐. JKM 메탈워크는 여러 중소기업 집단으로 이루어져 있잖아. 이번 기회에 시장 점유율을 높이고 전체 판매량을 증가시켜서 주식회사로 전환하려는 계획인 것 같아. 지금 그쪽에서 제안하는 가격을 봐서는 분명 이윤을 증가시키려는 목적은 아닌 것 같거든."

"무슨 사정이든 간에 가격을 더 이상 낮출 수는 없어."

로저는 초조함을 달래려는 듯 클립을 하나씩 들어 구부리며 말했다.

"그건 나도 동감이야."

프레드가 그런 로저를 바라보며 말했다.

"하지만 크로킷스틸은 우리 회사의 최대 거래처야. 크로킷스틸과 거래가 중단되면 타격이 클 거란 말이지. 자, 이제 어쩐다. 비상임원회의를 소집해야 하나?"

"요즘은 비상회의 소집할 일만 계속 생기는군."

로저는 애꿎은 클립만 계속 망가뜨리며 말했다.

전에는 급한 일이 생기면 아무리 늦은 시간이라도 비상임원 회의를 소집하곤 했다. 그리고 전체 임원이 모두 동의하는 적절한 해결책이 나올 때까지 회의를 계속 진행했다. 물론 어느 누구도 이런 회의를 달가워할 리 없었다. 늦은 밤, 회의를 마친 뒤 지친 몸을 이끌고 집으로 돌아가면, 불만에 가득 찬 아내의 원성에 또 한 번 시달려야 했기 때문이다.

"우리가 뭘 잘못한 것도 아닌데, 크로킷스틸이 무리한 요구를 하고 있는 거야."

프레드는 로저가 어서 회의를 소집하기를 기다리며 말했다. 그러나 로저의 입에서는 전혀 엉뚱한 말이 나왔다.

"기도를 해서 답을 구해봐야겠어."

프레드는 로저가 농담하는 줄 알고 웃다가 이내 깜짝 놀라 되물었다.

"뭐라고?"

"하나님께 조언을 구해야 될 것 같다고."

로저가 진지하게 고개를 끄덕이며 다시 한번 말했다.

청소부 밥

"기도를 하겠다는 말인가?"

프레드가 물었다.

"일단 날 믿고 맡겨줘. 설명은 다음에 할게. 비상임원회의는 내일 오후 한 시에 하기로 하고 자네도 이제 들어가서 '재충전' 이나 좀 하지. 이 문제는 회의 전에는 절대 다른 사람들에게 알 리지 말고. 괜히 걱정할 테니까."

"재충전을 하라고?"

프레드는 마치 생전 처음 보는 희한한 물건이 눈앞에 있기라 도 한 것처럼 눈을 가늘게 뜨고 로저를 바라봤다.

"그래, 재충전 말야. 자네가 좋아하는 일을 하거나, 애들하고 놀아주거나, 아니면 책을 읽거나 하면서 긴장을 좀 풀라고."

"취미 삼아 골프를 치긴 하지만……."

프레드가 잠시 생각하더니 말을 꺼냈다.

"골프를 치기에는 시간이 너무 늦었군. 다른 건 없나?"

로저가 물었다.

"그게……."

프레드가 말을 잇지 못하고 머뭇거렸다.

"뭔데?"

"아닐세. 별거 아니야."

프레드가 자신 없는 듯 중얼거리며 말했다.

"이봐, 친구! 우리 사이에 못할 말이 뭐야?"

로저가 부드러운 미소를 지으며 프레드를 재촉했다. 프레드는 목소리를 한껏 낮추고 속삭이듯 말했다.

"사실 난 말야…… 빨래하는 걸 좋아해."

"뭘 한다고?"

로저는 웃음을 참지 못하고 킬킬대기 시작했다.

"그래, 마음껏 웃으라고."

프레드는 절대로 주눅 들지 않겠다는 듯 고개를 뻣뻣이 들고 이야기를 계속했다.

"빨래가 뭐 어때서? 하는 나도 즐겁고 아내 일도 도와줄 수 있어 일석이조라고! 빨래를 하고 나면 혼란스러운 것을 바로 잡은 듯한 상쾌한 기분이 든단 말야. 아내와 난 빨래도 함께하고 옷도 함께 개킨다네. 그러면서 마음을 터놓고 대화도 나누지. 어쨌든, 로저! 다른 사람한테 이 얘기 했다가는…… 알지?"

둘은 동시에 큰 소리로 웃었다. 긴장이 풀리며 마음이 느긋해지는 것이 느껴졌다.

"그래, 그것 참 좋은 취미군. 재충전을 하는 데 취미만큼 좋은 건 없지. 그럼 얼른 들어가서 빨래나 하게."

로저가 프레드를 사장실 밖으로 내보내며 말했다.

"크로킷스틸 일은 내일 생각하자고."

청소부 밥

나는 빨래하는 걸 좋아하네.
대야 가득 물을 채우고 더러워진 셔츠나
양말을 집어넣어 박박 문지르면
회사일로 엉켜 있던 머릿속이
말끔해지는 듯한 기분이 들거든.

로저는 휴대폰 전원을 끄고 집으로 향했다. 그가 집에 도착했을 때 달린과 두 딸들은 부엌에서 쿠키를 장식하는 데 열중해 있었다. 그도 곧바로 손을 씻고 합류했다.

그는 가장 큰 쿠키를 하나 집어 들고 얼굴 모양을 만들기 시작했다. 콧수염에 안경을 씌우고 귀걸이까지 만들어 작품을 완성했다. 딸들도 마음에 들어 했다.

쿠키 장식이 끝나고 아이들이 잠자리에 들자 로저도 모처럼 일찍 침대에 누워 책을 읽었다. 달린은 부엌 정리를 마친 뒤 거실에서 영화를 봤다. 로저는 잠들기 전 혼자만의 시간을 이용해 차분히 기도를 했다.

그는 회사에 닥친 일을 현명하게 풀어낼 지혜를 달라고 기도했다. 달린이 지금까지의 무책임했던 자신을 용서하고, 다시 한번 기회를 주게 해달라는 기도도 잊지 않았다.

'당신이 바라시는 훌륭한 남편, 자상한 아버지가 될 수 있도록 도와주소서.'

* * *

다음 날 로저의 가족은 활기찬 아침을 맞이했다. 식구들이 아침을 함께하는 건 이제 그들의 일상으로 자리 잡았다. 로저는

청소부 밥

운전대에 팔을 걸치고 아이들이 등교 준비를 마치고 나오기를 기다리고 있었다. 그는 아이들이 학교에서 즐겁고 유익한 하루를 보낼 수 있기를 조용히 기도했다. 그런데 그때 차창을 가볍게 두드리는 소리가 들렸다.

"안녕하세요, 킴브로우 씨."

부드러운 인상의 한 젊은 남자가 하얀 이를 드러내며 웃고 있었다.

"아! 안녕하세요?"

로저는 그가 옆집에 새로 이사 온 사람임을 알아보고 반갑게 인사를 했지만 이름이 기억나지 않았다.

"앤드류입니다."

그는 여전히 밝은 표정으로 말했다.

"아! 맞아요. 죄송합니다."

로저가 멋쩍은 얼굴로 말했다.

"괜찮습니다. 저도 늘 남들 이름을 잊어버리곤 하거든요."

앤드류가 웃으며 말했다.

"전에 차 한 잔 하자고 하셨죠? 언제쯤이 좋으십니까? 제가 댁으로 한번 들를게요."

로저가 기회를 놓치지 않고 마음속에 있던 말을 꺼냈다.

"정말 와주시겠어요? 고맙습니다."

앤드류는 한층 더 밝게 웃으며 대답했다.

"이번 주말에는 어딜 좀 가봐야 하고, 다음 주 토요일 오전 괜찮으세요?"

"그렇게 하죠."

로저가 대답했다.

"좋습니다. 그럼 그때 뵐게요."

앤드류는 손을 흔들며 가벼운 발걸음으로 자신의 차를 향해 걸어갔다.

로저는 갑자기 마음이 따뜻해지는 것을 느꼈다. 자신의 도움이 필요한 듯한 그 남자가 항상 마음에 걸렸는데, 만날 약속을 정하고 나니 마음이 한결 가벼워지는 것 같았다.

앤드류. 로저는 다시 만날 때는 이름을 꼭 기억해야겠다고 다짐하며 다음 주 토요일 약속을 다시 한번 되뇌었다. 그는 앤드류에게 뭔가 도움을 줄 수 있을 것만 같은 예감이 들었다.

'밥 아저씨도 나를 만나면 이런 기분일까?'

누군가를 도울 수 있다는 기대감에 아침 공기가 더욱 상쾌하게 느껴졌다.

아이들을 학교까지 태워다주고 나니 시계는 어느덧 8시를 가리키고 있었다. 기분이 좋아진 로저는 세차장에 들렀다. 그는 세차가 끝나기를 기다리며 휴게실에서 오렌지주스를 마셨다.

길 건너편에서 몸집이 작은 부인이 가게 셔터를 올리려고 애쓰는 모습이 눈에 들어왔다. 부인은 작은 서점의 주인인데 이제 막 문을 여는 모양이었다. 로저는 저런 조그만 서점에서 책을 팔아 과연 임대료나 제대로 낼 수 있을까 하고 생각했다.

비단 저 서점만의 문제가 아니다. 주변만 둘러보더라도 성공과는 거리가 먼 상점들을 여럿 볼 수 있다. 그들은 모두 큰 꿈을 갖고 사업을 시작하지만, 얼마 못 가 곧 다른 사람에게 자리를 내주곤 한다. 대부분은 사업을 이끌어갈 수 있는 치밀한 계획이 없거나, 손익분기점과 수익 목표를 제대로 관리하지 못하기 때문에 일어나는 일이다. 1년 전 바로 저 자리에 있던 아이스크림 가게도 그런 이유 때문에 없어진 것이리라.

창밖을 보며 잠시 생각에 빠져 있던 로저의 머릿속에 문득 떠오르는 것이 있었다. 그는 마음속으로 서점 아주머니의 행운을 빌고는 휴대폰을 꺼내 프레드에게 전화를 걸었다.

"프레드 난데, 부탁할 게 있어. 시간이 부족한 건 알지만 크로킷스틸과 관계된 모든 수익과 지출 내역을 정리해서 회의 때 보고서로 제출해줄 수 있겠나? 여유가 되면 지난 3년간의 변화 추이를 분석해서 보고서에 넣어주면 더욱 좋고."

"그렇게 하지. 준비해두겠네."

"고마워. 그럼 부탁할게."

로저는 프레드와 통화를 한 후 비서 베키에게 전화를 걸었다.

"베키입니다. 말씀하세요."

"좋은 아침이에요, 베키."

로저가 인사를 건네고 용건을 꺼냈다.

"오늘은 특별한 부탁을 할게요. 설문조사인데요, 우리 직원들에게 크로킷스틸 관련 업무에 하루 평균 몇 시간을 투자하는지, 그리고 그 업무 중 가장 좋아하는 점과 싫어하는 점은 무엇인지 물어봐주겠어요? 한 사람도 빼놓지 말고 모두요."

"알겠습니다."

베키가 대답했다.

"급하게 부탁해서 미안하지만, 오전 열한 시까지 그 결과를 받아봤으면 해요. 그리고 설문 응답에 대한 요약 보고서를 작성해서 열두 시까지 넘겨주세요. 한 시에 있을 비상회의에 참고자료로 쓸 생각이거든요."

로저가 정중하게 부탁했다.

"그렇게 하겠습니다."

베키 역시 기분 좋게 수락했다.

"고마워요. 그럼 수고해요."

사무실까지 가는 동안 로저의 뇌리에는 수많은 생각들이 오고 갔다.

청소부 밥

'만약 크로킷스틸과 거래를 끊는다면 우리 회사는 과연 어떻게 될까?'

이는 한 번도 생각해보지 않았던 상황이었다.

'크로킷스틸과 거래를 하기 위해 얼마나 노력했던가. 그들과 지속적으로 좋은 관계를 유지하기 위해 얼마나 공을 들여왔던가.'

회사에 도착해보니 책상 위에 베키가 준비한 설문지가 놓여 있었다.

"나도 해야 하는 겁니까?"

로저가 물었다.

"그럼요. 한 사람도 빠짐없이 조사하라고 하셨잖아요."

베키가 미소를 지으며 대답했다.

"사장님도 우리 회사 직원이시니까요."

로저는 이른 아침부터 밤늦게까지 최선을 다해주는 직원들이 무척이나 고맙게 느껴졌다. 그는 설문지를 바라보았다. 그리고 몇 분 동안 끙끙대며 생각을 정리하려고 노력했다.

첫 번째 질문. '크로킷스틸 관련 업무에 시간을 얼마나 투자하는가?'

적어도 하루 일과의 3분의 1은 크로킷스틸과 관계된 계획을 세우거나 검토하거나 아니면 갑자기 밀어닥친 주문을 해결하는

데 보내고 있었다. 그는 설문지에 33퍼센트라고 적었다.

두 번째 질문. '크로킷스틸 관련 업무 중 가장 좋아하는 업무는 무엇인가?'

그는 두 번째 질문에 대한 답을 적지 않은 채 다음 질문으로 넘어갔다. 아무리 생각해봐도 좋아하는 업무가 떠오르지 않기 때문이었다.

처음 그들과 거래를 시작할 때만 해도 상황이 이렇지는 않았다. 하지만 크로킷스틸의 임원들이 여러 차례 바뀌고, 주로 이메일을 통해 의사소통이 이루어지기 시작하면서 일의 즐거움은 점점 사라져갔다.

세 번째 질문. '크로킷스틸 관련 업무 중 가장 싫어하는 것은 무엇인가?'

로저는 이번에는 어려움 없이 곧바로 답을 써 내려갔다.

'크로킷스틸이 사장인 나보다 우리 회사를 더 좌지우지한다. 최근 몇 년간 그들이 모든 결정을 내렸고 우리는 말없이 따라야만 했다.'

이렇게 답을 써놓고 보니 모든 게 분명해졌다. 로저는 크로킷스틸에서 만든 달력에 있는 거대한 회사 건물 사진을 바라보며 생각에 잠겼다.

'오늘 갑자기 떠오른, 다소 과감한 이 아이디어가 정말 지혜

와 올바른 인도를 구하는 내 기도에 대한 응답이었을까?'

그는 임원들이 어떤 의견을 내놓을지 궁금해하며 흥분된 마음으로 회의실로 향했다.

로저는 마치 트리플에이의 초창기 시절로 돌아간 듯한 기분이었다. 더불어 같은 생각을 가진 사람들과 공동의 목표를 향해 정진하던 그 당시의 즐거움이 되살아나는 듯했다.

'즐겁게 일한다는 건 바로 이런 거였지. 이런 기분을 너무 오랫동안 잊고 살았어.'

이별 준비 태세

로저는 초조한 마음으로 회의실로 향했다. 어쩌면 이번 상황은 이미 예견된 것이었는지도 모른다. 크로킷 스틸의 일방적 통첩을 받고 놀라지 않은 것은 아니었다. 하지만 최근 급격히 악화된 양사의 관계를 감안하면 이런 문제가 생기는 것은 당연한 일이었다. 따라서 이제는 터지기 일보 직전인 문제들을 해결해야 할 때가 된 것이다. 하지만 가장 큰 거래처와 이별하게 될 경우 회사의 앞날이 어떻게 될지 불안한 것도 사실이었다.

로저는 회의실로 들어서면서 테이블 위를 훑어보았다. 큰 접시에는 먹기 좋은 크기로 썰어놓은 샌드위치가 준비되어 있고, 그 옆에는 몇 가지 종류의 과일 주스와 물병이 놓여 있었다.

테이블 앞에 베키와 프레드가 보였고, 품질관리팀의 키트 스미스, 업무팀의 블레이크 펠프스, 판매팀의 리사 브루어가 로저를 기다리고 있었다. 마침 프레드는 샌드위치를 하나 집어 입에 넣으려다, 빵 사이의 재료들이 흘러나와 바지에 떨어지는 바람에 곤란해하고 있었다.

"먹기 좋으라고 이렇게 작게 썰어놓은 건가?"

프레드가 짜증을 내며 투덜거렸다.

"좋은 재료를 잔뜩 집어넣으면 뭐해? 이렇게 다 흘러나오면 먹을 수가 없잖아."

"그러게 말이에요."

품질관리팀 키트가 거들었다.

"의도는 좋았죠. 예쁘게 만들려고 그런 건데 결과가 썩 좋지만은 않네요."

"그러게 말입니다."

프레드가 고개를 끄덕였다.

"이런 교훈을 주는군요. '의도는 좋았으나 무용지물이다.' 어때요, 이런 경우 딱 맞는 말이죠?"

"이건 어때요?"

업무팀의 블레이크도 끼어들었다.

"아무리 좋은 것이라도 너무 얇게 만들면 중요한 순간에 꼭 부서져버린다."

로저도 사과주스를 마시다 한마디 보탰다.

"전 이런 생각이 드는데요. '있는 그대로가 더 좋은 걸 왜 긁어 부스럼을 낼까' 어울리나요?"

"맞아요. 그냥 빵에 칠면조 고기 한 조각만 넣어도 훌륭한 샌드위치가 될 텐데요."

프레드가 로저를 바라보며 말했다.

"하지만 소비자가 무언가 특별한 걸 원한다면 상황이 달라지겠죠."

리사가 다른 의견을 냈다.

"평범한 샌드위치로는 그런 소비자를 유혹할 수 없을걸요."

"그럼 평범한 사각 샌드위치는 사람들로부터 외면당할 수도 있다는 말인가요?"

로저가 물었다.

"그럴 수도 있겠죠."

키트가 말했다.

"하지만 상품 자체를 개선시키기 위해 변화를 주는 것과, 그저 다른 것과 차별화하기 위해 특별한 이유도 없이 변화시키는 것은 다르죠. 둘을 잘 구분해야 합니다."

"물론이죠."

블레이크가 키트를 바라보며 말했다.

"이런 경우도 한번 생각해봅시다. 소비자가 둥근 샌드위치를 원해서 둥글게 만들었는데, 그 소비자가 마음이 바뀌어서 원래의 사각 샌드위치를 선택하는 거예요. 하지만 이미 둥글게 만들어버렸으니 손쓸 방법이 없죠."

"이거 샌드위치에 관한 대화치고는 너무 심오해진 거 아닌가요?"

로저가 미소 지으며 말했다.

로저의 말에 모두들 각자의 자리로 돌아가 서류를 펼치며 회의를 준비했다. 로저는 사람들을 둘러보다 이들이 회의 때문에 점심시간을 빼앗겼다는 사실을 깨달았다. 미안함과 동시에 고마움이 밀려왔다. 최근 들어 이런 일이 잦았던 것이다. 하지만 누구 하나 싫은 내색 하지 않고 기분 좋게 일하고 있었다.

프레드가 지난 3년간의 크로킷스틸 관련 손익보고를 발표하면서 회의가 시작되었다. 프레드의 보고를 듣던 로저는 마음이 아파왔다. 수익률은 그야말로 저조했다. 하지만 크로킷스틸이 지난 몇 년간 트리플에이를 지탱하는 힘이 되어준 것은 명백한 사실이기도 했다.

프레드의 보고가 끝나자 로저는 다른 사람들을 돌아보며 의견을 물었다.

"제가 먼저 얘기하겠습니다."

품질관리 담당이자 생산 감독을 맡고 있는 키트가 먼저 입을 열었다.

"보고서에 대해 본격적으로 이야기하기 전에 드릴 말씀이 있습니다. 우리가 크로킷스틸 때문에 훌륭한 직원 두 명을 잃었다는 사실을 다들 기억하실 겁니다."

"에디와 디제이를 말씀하시는 겁니까?"

프레드가 물었다.

"네. 물론 그들은 공식적으로는 다른 이유로 회사를 떠났죠. 에디는 사업을 한다고 했고, 디제이는 집과 가까운 곳에 있는 회사에서 높은 연봉을 제시했다고 말했습니다. 하지만 실제로 에디는 형과 지붕공사 일을 하면서 어렵게 생활하고 있습니다. 그리고 디제이는 크로킷스틸한테 시달리지 않았다면 우리 회사를 떠나지 않았을 겁니다. 그는 언제든지 현장에 나가 고객과의 분쟁을 중재할 수 있는 유일한 직원이었죠. 하지만 크로킷스틸은 그들 마음대로 주문을 바꾸고 우리에게 맞출 것을 강요하면서, 문제가 생길 때마다 디제이를 희생양으로 이용했습니다. 그는 그래서 지친 겁니다. 능력을 인정받지 못하고 이용만 당한다고 느꼈던 거죠."

키트는 말을 멈추고 잠시 생각을 정리하더니 프레드를 바라보았다.

"크로킷스틸 때문에 떠나는 사람과 신입사원 교육훈련비도 보고서에 넣어야 할 겁니다. 그래야 지금 상황을 더 정확하게 이해할 수 있을 것 같습니다."

프레드가 근심 어린 표정으로 로저를 바라보았다.

다음은 블레이크가 말하기 시작했다.

"지난 일에 대해 쓸데없이 불평하는 것 같지만, 어쨌든 제 생각을 말씀드리겠습니다. 전 하루의 40퍼센트 이상을 크로킷스틸 업무에 쏟고 있습니다. 해결해야 할 문제가 항상 산더미 같죠. 다른 업체에 투자하는 시간에 비하면 크로킷스틸에 너무 많은 시간을 할애하고 있습니다. 때문에 다른 업체와 더 좋은 거래를 할 수 있는데도 기회를 놓치고 있습니다. 크로킷스틸 때문에 정신이 없다 보니 다른 데에 신경 쓸 여력이 없는데, 그건 곧 우리 회사에 큰 손해라고 생각합니다. 키트가 말했듯 직원들의 사기도 말이 아닙니다. 만일 그들의 가격인하 요구에까지 굴복한다면 사기는 더욱더 저하될 겁니다."

로저는 이마를 문지르며 리사에게 물었다.

"리사, 판매팀의 의견은 어떤가요? 이번 문제에 대해 어떻게 생각하죠?"

"글쎄요."

리사는 한숨을 쉬며 말했다.

"판매에 있어서는 크로킷스틸이 큰 도움이 되지요. 그 회사 이름을 언급하는 것만으로도 고객들의 신뢰를 얻을 수 있고, 크로킷스틸도 우리 회사에 대해 좋게 얘기해주거든요. 하지만 문제는……."

리사는 잠시 말을 멈추더니, 키트와 블레이크를 바라보며 안쓰러운 표정을 지었다.

"업무팀에서 스케줄을 제대로 관리하지 못하고 있다는 점입니다. 납기를 맞추지 못해서 판매 기회를 놓친 적이 많았거든요. 새로운 거래처와 일을 시작할 때 약속 날짜가 중요하다는 건 모두 알고 계실 겁니다. 그런데 우리는 지금 그걸 지키지 못하고 있어요."

로저가 물었다.

"생산팀이 수량을 맞추지 못해서 판매에 문제가 있다는 말씀인가요?"

리사는 아무 말도 하지 않았고, 대신 블레이크가 고개를 끄덕이며 입을 열었다.

"어떤 상황인지 충분히 이해가 됩니다. 솔직히 크로킷스틸에서 급한 주문이 올 때마다 처리해야 할 서류와 잡무가 너무 많습니다. 그러다 보니 정작 리사가 새로운 거래처 일로 도움을

청소부 밥

청해도 그걸 수용할 여력이 없습니다. 지금 하는 일만 해도 완전히 포화상태거든요."

로저는 의자 깊숙이 등을 기대고 앉아 테이블 아래로 다리를 뻗으며 신음하듯 말했다.

"그렇군요. 그럼 이쯤에서 직원 설문조사 결과를 한번 들어봅시다."

베키가 서류철에서 메모지를 꺼내며 말했다.

"너무 짧은 시간에 조사를 하다 보니 각 팀장이 팀원들의 의견을 정리하고 제가 그 결과를 다시 요약하는 식으로 진행할 수밖에 없었습니다. 요약한 내용을 말씀드리겠습니다."

베키는 메모지에 적힌 글들을 빠르게 읽어 내려갔다. 첫째로 크로킷스틸 관련 업무에서 가장 싫어하는 점을 묻는 질문에 대한 직원들의 대답은 이러했다.

- 우리 회사나 직원들을 존중하지 않는다.
- 항상 재촉한다.
- 가격을 낮춰서 상품의 질을 떨어뜨리려고 한다.
- 우리 회사의 일에 간섭이 심하고 관료적 형식주의에 빠져 있다.
- 주문 내용이 너무 자주 바뀐다.

- 크로킷스틸 때문에 회사에서 일하는 게 재미없어졌다.

  반대로 크로킷스틸 관련 업무에서 가장 좋아하는 점을 묻는 질문에는 첫 번째 질문만큼 다양한 대답이 나오지 않았다. 안정적인 수입원이 된다는 대답이 주를 이루었고, 아예 아무것도 쓰지 않은 사람들도 많았다.

  베키는 발표를 마치고 로저에게 메모지를 건네주었다. 로저는 메모지를 잠시 바라보다 의자를 테이블에 바짝 당겨 앉으며 말했다.

  "저를 대신해서 모든 직원들에게 성의껏 대답해줘서 고맙다고 전해주세요. 오늘 이 자리에서 나눈 모든 내용을 충분히 고려해서 결정을 내립시다. 여러분 모두 각자의 자리에서 최선을 다하고 있다는 것을 잘 압니다. 실망스러운 일이 생긴다면 그건 최종 책임자인 제 잘못이겠죠. 일단은 이미 약속한 물량까지는 계속 크로킷스틸과 거래를 하는 것으로 합시다. 하지만 가격은 지금 그대로 유지하는 걸로 하겠습니다. 초기 계약서에 명시된 대로 말입니다. 저는 이 회사의 최고 책임자로서 우리 회사를 일하기 즐거운 곳, 모두가 자랑스럽게 여기는 직장으로 되돌릴 필요가 있다고 생각합니다. 크로킷스틸과 계속해서 거래를 할 것인지는 상황을 봐가며 계속 논의하기로 합시다. 하지만 가능한 한 빨리 결정해야겠죠. 그때까지는 현 상태를 유지합시다."

모두 고개를 끄덕이며 자리를 정리했다. 그때 블레이크가 곤혹스러운 표정으로 로저를 불렀다.

"저희 업무팀에서 초기 계약서의 내용을 다시 들먹이면 분명 크로킷스틸에서 순순히 받아들이지 않을 텐데요."

"제가 그쪽 담당자에게 우리 입장을 얘기해놓겠습니다."

로저가 대답했다.

"누구든 이의 제기나 항의 전화를 하면 저에게 넘기세요. 베키, 이 문제로 전화가 오면 먼저 제게 연결해주세요."

로저는 회의실을 나와 사무실로 돌아왔다. 발걸음에서 활력이 느껴졌다. 이제야 회사가 주인을 되찾은 것 같았다.

밥 아저씨의 선물

로저는 휴게실에 도착해 먼저 밥을 기다리고 있었다. 그는 오렌지색 수첩에 기록해놓은 내용을 차분히 읽어보았다.

'세 번째 지침: 투덜대지 말고 기도하라.'

그는 지난 한 주를 되짚어보며 자신이 이 새로운 지침을 잘 지켰는지 생각해보았다. 크로킷스틸에서 가격인하 요구가 왔을 때, 그는 올바른 결정을 내리기 위해 기도했고, 불평불만을 늘어놓지 않으려고 분명 애를 썼다.

직원들을 대상으로 설문조사를 한 아이디어는 과연 도움을 요청하는 그의 기도에 대한 응답이었을까? 아니면 그냥 우연히 머릿속에 떠오른 아이디어였을까?

설문조사 덕분에 그는 트리플에이와 크로킷스틸과의 관계를 좀더 냉정하고 객관적인 눈으로 바라볼 수 있게 되었고, 마침내 문제해결의 실마리를 찾을 수 있었다.

로저가 한참 생각에 빠져 있는데 밥이 휴게실로 들어왔다. 그는 작은 상자 하나를 들고 있었다.

"늦어서 미안하네. 차가 좀 막히더군. 대신 자네에게 줄 선물을 가져왔다네."

밥은 여느 때처럼 밝고 경쾌한 목소리로 인사를 건넸다. 사실 그는 약속시간에 딱 맞춰 도착했지만 일찍 와서 기다린 로저에게 사과의 말을 잊지 않았다.

"오늘이 무슨 날인가요?"

로저는 머그잔에 찻물을 따르며 물었다. 밥과 처음 만난 날 녹차를 마셨을 때는 쓴 맛밖에 느낄 수 없었지만, 시간이 지날수록 그 깊은 맛을 음미하게 되었다. 그래서 요즘은 커피보다 녹차를 더 즐겨 찾을 정도가 되었다.

"그런 건 아니고. 원래 선물이란 게 예상하지 못하고 있을 때 줘야 받는 사람이 더 기쁜 것 아닌가. 그건 그렇고, 지난주는 어떻게 보냈나? 가족들은 모두 잘 지내고?"

밥이 물었다.

"아직 확신할 수는 없지만 오늘 아침에 꽤 큰 사건이 있었어

134

요. 그동안 가족과 시간을 함께 보낸 데 따른 작은 성과라고나 할까요?"

로저가 이야기를 시작했다.

"제가 요즘 가족들과 아침을 함께 먹고 아이들을 학교에 데려다주는 거 아시죠?"

"전에 얘기했었지. 정말 잘한 일이야."

밥이 대답했다.

"덕분에 저도 하루를 기분 좋게 시작할 수 있게 됐습니다. 모두 함께 식탁에 둘러앉아 시리얼과 과일로 아침을 먹죠. 베카는 항상 상상의 친구 척을 위해서 그릇과 스푼을 하나씩 더 챙겨놓고요. 그런데 오늘은 어쩐 일인지 척의 자리를 준비하지 않더군요. 척이 캘리포니아에 있는 친척 집에 갔기 때문에 아침을 함께 먹을 수 없다는 거였어요. 어떻게 된 걸까요?"

"저런! 척에게는 안된 일이군."

밥이 웃음을 터뜨리며 말했다.

"내 생각에 척은 아마도 계속 친척 집에 머물 것 같군. 돌아오지 않을 거야."

"정말로 그럴까요?"

로저가 물었다.

"전문가는 아니지만 내 생각은 이렇다네. 베카에게 상상의 친구가 존재했던 건 곁에 있어줄 누군가가 필요했기 때문이야. 엄마 이외의 다른 친구 말이야. 아이는 그 빈 공간을 채워줄 친구로 척을 택했던 거지. 하지만 이제 그애 곁에 자네가 있지 않은가! 덕분에 베카는 마음이 편해지고 안정을 찾은 거지. 더 이상 척이 필요 없어질 만큼 말일세."

"그렇다면 정말 다행이네요."

로저가 반색을 하며 말했다.

"척을 싫어한 건 아니지만 보이지도 않는 존재가 항상 우리와 함께 있다는 게 좀 꺼림칙했거든요. 달린도 마음이 놓였는지 주말에 영화를 보러 가자고 하더군요. 단둘이 말입니다. 말하자면 데이트 신청 같은 거죠. 둘이서 영화를 본 게 언제인지 기억도 안 나요."

"요즘 가족들에게 아주 잘하고 있는 것 같네."

밥이 말했다.

"다 아저씨 덕분입니다. 전 가르쳐주신 대로 했을 뿐인걸요."

로저는 고마운 마음을 표현했다.

"이제 정신없이 돌아가는 회사 일만 해결하면 걱정 없을 것 같습니다."

로저는 밥에게 현재 회사가 처해 있는 상황을 간단하게 설명했다. 크로킷스틸로부터 우울한 통지가 왔지만 전 직원 설문조

사라는 결정적인 아이디어로 분위기를 반전시킬 수 있었다는 내용이었다.

"원하던 답을 제대로 찾은 것 같군."

밥이 말했다.

"이번 일 전체가 저에게는 좋은 교훈이 됐습니다."

로저가 말을 이었다.

"설문에 대한 직원들의 답변을 간추려서 여기 수첩 뒷부분에 적어왔는데 같이 보시겠어요? 크로킷스틸 관련 업무에서 싫어하는 점에 대한 응답은 끝없이 길더군요. 그 중에서도 몇 가지 공통된 답이 있었습니다. 예를 들면 '우리 회사나 직원들을 존중하지 않는다, 항상 가격을 낮춰서 상품의 질을 떨어뜨리려고 한다, 목표가 일관성 없이 왔다 갔다 한다, 변화가 잦은 만큼 처리할 서류가 넘쳐나고 그 변화를 우리가 잘 따라가고 있는지 항상 감시한다, 우리 회사 일에 참견이 심하다' 등등……."

로저는 잠시 숨을 돌리고 말을 이었다.

"솔직히 이런 대답이 나올 줄 알고 있었습니다. 저도 같은 생각이었으니까요. 하지만 이상하게도 직원들이 직접 쓴 답변을 보고서야 상황의 심각성을 절실하게 깨닫게 되었죠. 반대로 크로킷스틸 관련 업무 중에서 가장 좋아하는 점을 묻는 질문도 있었는데 대답한 사람이 많지 않았어요. 그나마 나온 대답도 '우리 회사의 수익을 올리는 데 도움이 된다, 큰 업체와 거래함으로써 회사 이미지를 향상시킬 수 있다' 정도였죠. 어떤 직원은 아주 냉소적인 대답을 했더군요. '크로킷스틸은 낮은 가격으로 질 좋은 상품을 생산할 것을 요구하면서 우리를 항상 긴장하게 해준다' 라고요. 나름대로 다 맞는 말인 것 같습니다. 특히 우리가 항상 긴장할 수 있게 해준다는 건 어떤 면에서는 고마운 일이기도 하죠. 하지만 좋아하는 점을 묻는 질문에 가장 많이 나온 대답이 뭔지 아세요?"

"뭔가?"

밥이 궁금한 마음에 몸을 앞으로 살짝 기울이며 물었다.

"빈 칸이었어요."

로저가 대답했다.

"빈 칸이라……."

"맞아요. 우리 직원들은 하루 중 가장 많은 시간을 들여 최대 거래처와 관련된 일을 하고 있지만 정작 마음에 드는 것은 단 하나도 없다는 뜻이에요."

"그 말을 들으니 갑자기 생각나는 게 있군."

밥이 말했다.

"음악에서는 음표뿐 아니라 다른 요소들도 모두 중요하다고 말하지. 그러니까 아무 소리 없이 쉬는 부분도 소리가 나는 부분이나 똑같이 중요하게 생각해야 하는 거고."

"지금 상황에 딱 맞는 비유네요. 정말로 아무 대답도 써넣지 않은 그 자리들이 제게는 어떤 말보다 더 많은 것을 깨닫게 해 줬습니다."

로저가 밥의 말에 동의를 표했다.

"하루 중 그렇게 많은 시간을 보내는데 재미있는 일이라고는 하나도 없다니! 이건 말도 안 되는 상황이야. 주객이 전도된 거라고 할 수 있겠지."

밥이 말했다.

"바로 그거예요."

로저가 다시 편안한 표정을 되찾으며 말했다.

"밥 아저씨도 저와 같은 생각이라니 마음이 좀 놓이네요. 혹시라도 제 생각이 틀렸다고 말씀하실까봐 걱정했는데요. 아저씨는 저보다 모든 면에서 경험이 더 풍부하시잖습니까."

"사실 이번 일에서는 내가 한 수 배웠는걸."

밥이 말했다.

"그 설문은 정말 상황을 정확하게 판단한 예리한 질문들이었어. 나라면 아마 그런 생각을 해내지 못했을 거야. 가끔은 선생이 학생에게 더 많은 것을 배우기도 하는 법이지."

"별말씀을요."

로저가 멋쩍은 듯 웃으며 말했다.

"힘든 일이 겹칠 때는 자기도 모르는 사이에 상황이 전혀 엉뚱한 방향으로 흘러가게 되는 것 같아요. 원래 저의 경영 원칙은 직원들이 일에서 보람을 느낄 수 있도록 하자는 거였습니다. 그런데 최근의 제 행동을 생각해보면 원칙에서 벗어나도 한참 벗어났던 것 같아요. 아니, 원칙을 잊고 있다는 사실조차 깨닫지 못하고 있었던 거죠. 하지만 아저씨를 만나고 난 후로는 달라졌어요. 새로운 인생을 살게 되었죠."

"그렇게 말해주니 정말 고맙군. 나한테는 무엇보다 큰 선물이야. 어려운 때일수록 믿을 수 있는 사람의 조언에 귀를 기울이는 것이 여러모로 도움이 되지."

밥이 말했다.

"앨리스도 이와 관련된 이야기를 한 적이 있다네."

"네 번째 지침인가요?"

"맞아."

밥은 말을 멈추고 테이블 위에 놓인 작은 상자를 가볍게 두드렸다.

"부인께서 아저씨에게 주신 거로군요?"

로저가 물었다.

"그래. 그리고 이젠 내가 자네에게 줄 차례네."

밥이 고개를 끄덕이며 말했다.

"부인께서 아저씨에게 드린 선물을 제가 어떻게 받을 수 있겠습니까?"

로저가 몸을 뒤로 빼며 말했다.

"자네에게 준 걸 알면 앨리스도 기뻐할 거야."

밥은 극구 사양하는 로저에게 상자를 내밀며 말했다.

"열어보게나."

로저는 잠시 망설이다 상자를 받아들고 조심스럽게 열어보았다. 겉포장을 뜯자 검은색 가죽 상자가 나타났다. 그 상자를 여는 순간, 로저는 입을 다물 수가 없었다.

정교하게 만들어진 남성용 손목시계가 상자 안에서 찬란한 빛을 발하고 있었던 것이다. 반짝이는 다이아몬드가 시침과 분침을 장식하고 있었고, 또 하나의 다이아몬드가 로마 숫자 XII 위에서 빛을 내고 있었다. 시계의 문자판에는 짧지만 의미심장한 글귀가 새겨져 있었다.

'배운 것을 전달하라.'

로저는 할 말을 잃고 시계를 바라보았다.

"꽤 괜찮은 물건이지?"

밥이 뿌듯한 표정으로 말했다.

"이렇게 엄청난…… 이렇게 대단한 걸 저에게 주신다고요?"

청소부 밥

"그렇다네. 몇 번을 말해야 아나."

밥은 시계를 들여다보며 앨리스를 추억하듯 아련한 목소리로 말을 이었다.

"내가 멋진 시계를 좋아하는 걸 그녀는 알고 있었지. 보석에는 관심도 없는데 이상하게 고급 시계만 보면 멈춰 서서 시간 가는 줄 모르고 구경하곤 했거든. 지금도 여전히 그렇고."

밥은 녹차를 한 모금 마시고는 말을 이었다.

"회사 일이 진정되고 좋은 소식이 들려올 즈음, 나도 서서히 건강을 회복해가고 있었어. 집에서나 직장에서나 모든 것이 만족스러웠지. 상황이 이렇게 안정되자 앨리스는 한 걸음 더 나아가보기로 했어. 내가 경험을 통해 배운 것을 다른 사람들에게도 깨닫게 해주고, 그녀의 지침들을 전함으로써 다른 이의 삶에 도움을 줘야 한다는 사실을 나에게 알리고 싶었던 거지. 그래서 시계에 이런 글귀를 새겨서 내게 선물했다네. 정말 기막힌 아이디어였어. 이 시계를 볼 때마다 시간이 쏜살같이 빠르게 흐른다는 걸 깨달을 뿐 아니라, 다른 사람에게 내가 깨달은 지혜를 전해야겠다는 다짐을 하게 되었거든. 너무 늦기 전에 말이야. 나는 이 다짐을 실천에 옮기며 살아왔다네. 지금 자네와 만나고 있는 것도 그 일부라고 할 수 있지."

"이 글이 네 번째 지침이로군요."

네 번째 지침: 배운 것을 전달하라.

로저는 이웃 앤드류와 토요일 아침에 만나기로 한 사실을 떠올리며 말했다. 앤드류와의 만남은 그에게도 좋은 기회가 될 것이다. 경험을 통해 얻은 깨달음을 다른 사람에게 '전달' 할 수 있는 기회를 얻고, 어쩌면 밥에게 '전달' 받은 이 지침들도 '전달' 해줄 수 있을 것 같았다.

"그렇다네. 간단하지 않나?"

밥이 환하게 미소 지으며 말했다.

"시계가 손목에 잘 맞을지 모르겠네만 줄을 조절해서 사용하면 될 거야."

"정말 안 되겠습니다."

로저는 시계를 내려놓으며 말했다.

"제가 어떻게 이걸 받을 수 있겠어요? 선물로 받기에는 너무 비싼 물건입니다."

"값으로 따질 수 없을 만큼 비싸지."

밥이 여전히 미소 띤 얼굴로 말했다.

"앨리스에게 이 시계를 선물받은 뒤 나는 비로소 내 인생의 진정한 목표를 알게 되었다네. 다른 사람들이 자기 자신과 가족, 그리고 무엇보다도 신앙심을 되찾을 수 있도록 돕는 것, 그

쏜살같이 지나가는 시간을
영원히 잡아두는 방법은
내가 깨달은 지혜를 다른 이들에게
전달하는 길밖에 없다는 사실을
이 시계를 통해 깨닫게 되었죠.

게 바로 내가 찾은 인생의 목표라네. 이런 깨달음은 값으로 계산할 수 있는 게 아니지."

"그럼요."

로저가 말했다.

"그러니까 더욱 받을 수 없다는 겁니다. 아저씨한테 얼마나 소중한 물건인지 아니까 말이에요."

"하지만 소중한 물건이기 때문에 자네에게 선물하는 거라네. 내게 소중한 물건이라는 걸 잘 알고 있다면 더욱 받아야지. 그걸 볼 때마다 나와, 내가 했던 이야기들에 대해 다시 한번 곰곰이 생각해볼 수 있지 않겠나?"

"아저씨도 시계를 차서야 할 때가 종종 있을 텐데요."

로저는 여전히 곤란하다는 표정을 지으며 말했다.

"아니, 요즘은 시계를 찰 일이 거의 없어."

밥이 대답했다.

"게다가 손목이 자꾸 가늘어져서 시계를 차면 흘러내려 버리더군. 그러다 잃어버리면 어쩌나. 그러니 자네가 잘 간직해주면 좋겠어."

로저를 바라보는 밥의 눈은 로저에 대한 신뢰와 애정으로 가득 차 있었다. 마치 애원하는 듯한 눈빛을 마주한 로저는 밥의 선물을 차마 사양하지 못하고 받기로 마음먹었다.

청소부 밥

"대신 이렇게 하죠."

로저가 말했다.

"이런 소중한 선물을 제게 주신 데 대한 감사의 뜻으로 제가 이 시계를 몇 주 동안만 차고 다닐게요. 하지만 그 후에는 다시 받아주셔야 합니다."

"몇 주로 할까?"

밥이 눈을 가늘게 뜨고 물었다.

"글쎄요. 지침이 몇 개나 남았죠?"

밥은 잠시 그의 오렌지색 수첩을 들여다봤다.

"오늘 네 번째 지침을 이야기했고 총 여섯 개가 있으니, 이제 2주 남았군. 꽤 먼 길을 잘 달려왔네."

"좋아요. 그럼 2주 동안만 제가 차고 다니다가 그 후에는 다시 돌려드리는 겁니다."

로저가 다짐을 받으려는 듯 말했다.

"2주 후에도 자네 생각에 변함이 없다면 그렇게 하게나."

밥이 대답했다.

"약속하신 겁니다."

로저는 그제야 시계를 들어 손목에 찼다. 시계는 로저의 튼튼한 구릿빛 손목 위에서 빛났고 둘은 그것을 말없이 바라보았다.

"저한테 딱 맞네요."

로저가 깜짝 놀란 얼굴로 밥을 바라보았다.

"그렇군."

밥이 대답했다.

"그럼 이제 크로킷스틸과는 어떻게 할 생각인가?"

"아직 고민 중이에요."

로저가 무겁게 입을 열었다.

"둘째 딸 베카처럼 해볼까 봐요. 크로킷스틸을 멀리 있는 친척 집으로 보내버리는 거죠."

"그거 좋은 생각이네."

밥이 웃음을 터뜨리며 말했다.

"돌아올 수 없는 여행을 보내는 거로군."

기쁨을 전하는 기쁨

로저는 상쾌한 토요일 아침 공기를 깊이 들이마시며 이웃집으로 향했다. 유리창 너머로 앤드류의 모습이 보였다. 그는 식탁에 서류를 한 아름 쌓아놓고 노트북 컴퓨터 화면에서 눈을 떼지 못하고 있었다. 로저는 유리창을 가볍게 두드렸다.

"들어오세요."

앤드류가 손을 흔들며 그를 반갑게 맞이했다.

"안녕하세요? 일하시는 중인데 제가 방해를 했군요."

로저가 미안한 듯 말했다.

"괜찮습니다. 잠자는 시간 외엔 항상 일에 매달려 사는걸요. 사실 요즘은 잠자는 시간도 아껴가며 일하고 있죠."

앤드류는 씁쓸한 웃음을 지으며 말했다.

"어떤 상황인지 짐작이 갑니다."

로저가 말했다.

부엌은 식탁 위에 서류가 잔뜩 쌓여 있는 것만 제외하면 먼지하나 없이 깨끗했다. 스테인리스로 된 가전제품들과 줄무늬 커튼이 부엌의 현대적인 분위기를 한층 더해주고 있었다.

앤드류는 서류를 한쪽으로 밀어놓고 노트북 컴퓨터의 전원을 끈 후 서류더미 위에 올려놓았다. 그러고는 커피와 함께 브라우니가 담긴 접시를 내와 로저에게 권했다.

"아내가 만든 겁니다."

"맛있네요."

로저는 브라우니를 하나 맛본 후 서류더미를 향해 고개를 돌리며 말했다.

"정말로 시간 괜찮으시겠습니까? 급한 일이 있으시면 돌아가서 잔디를 깎아놓고 나중에 다시 들르겠습니다."

"아니요, 정말 괜찮습니다. 안 그래도 잠깐 쉬려고 하던 참이었어요."

앤드류가 말했다.

"요즘 바쁜 시기인가요?"

"꼭 그런 건 아닙니다. 항상 비슷하죠. 그런데 바쁜 것에 비해 성과는 만족스럽지 못하답니다. 시간을 투자하는 만큼 결과로 돌아온다면 정말 좋을 텐데요."

앤드류가 한숨을 쉬며 말했다.

"하시는 일은 어떤 겁니까?"

로저가 물었다.

앤드류는 몇 년간 마케팅과 홍보 담당으로 직장생활을 하며 어떻게 하면 질 좋고 값싼 판촉 상품을 조달해 판매할 수 있는지 알게 되었고, 그러한 지식을 바탕으로 결혼 후 자기 사업을 시작했다고 말했다.

"아내 미시는 걱정을 많이 했습니다. 하지만 저는 까짓 거 어려워봤자 얼마나 어렵겠냐 하는 생각으로 무작정 뛰어들었죠. 직장에 다니는 동안 필요한 건 배울 만큼 다 배웠다고 생각했거든요. 그런데 요즘은 자꾸 미시의 판단이 옳았던 게 아닐까 하는 생각이 듭니다. 상품을 생산하는 건 별 문제가 없는데 고객의 신뢰를 얻고 첫 거래를 트는 일은 좀처럼 진전이 없네요."

"제가 사적인 질문을 하나 해도 되겠습니까?"

"네, 하세요."

앤드류가 커피를 한 모금 마시며 대답했다.

"요즘 하시는 일에 대해 부인께서는 어떻게 생각하시나요?"

로저의 질문에 앤드류는 약간 긴장되는 듯 입을 꼭 다물고 커피 잔을 내려놓으며 말했다.

"대답하기 어려운 질문이네요. 미시는 원래 굉장히 긍정적인 편이었습니다. 그런데 요즘은 무슨 일만 생기면 '내가 그럴 줄 알았다니까' 라고 말합니다. 안 그래도 힘들고 기운 빠지는데, 그런 말까지 들으니 더 힘들더군요. 솔직히 말씀드리면, 사업이 잘 안 풀리기 시작하면서부터 저희 관계도 엉망이 되어가고 있는 것 같습니다. 결혼할 당시에는 최대한 빨리 아이를 갖고 멋진 가정을 꾸리자고 했었죠. 하지만 사업을 시작하면서, 저는 미시에게 자리를 잡을 때까지 아이 갖는 걸 미루는 게 좋겠다고 했어요. 아이가 생기면 그만큼 책임도 늘어날 텐데, 그 전에 안정된 사업 기반부터 마련해야 하지 않겠습니까."

"부인께서는 그런 상황이 달갑지 않으시겠군요."

로저가 말했다.

"당연하죠."

앤드류는 고개를 숙이며 대답했다.

"몇 주 전에 미시에게 이런 질문을 한 적이 있습니다. 지금까지 살면서 가장 후회되는 일이 뭐냐고요. 원래 그 사람 성격 같으면 그런 것 없다고 대답했을 겁니다. 미시는 과거보다는 항상 미래를 먼저 생각하는 편이었거든요. 그런데 그날은 제 사업에 찬성한 것이 가장 후회된다고 대답하더군요."

앤드류는 잠시 말을 멈추었다가 다시 이어갔다.

"말은 그렇게 했지만 저와 결혼한 것 자체를 후회하고 있는 것 같아요. 너무 힘들어하고 있으니까요. 불만이 커진 거죠. 전에는 아이를 빨리 갖자던 약속을 잊었냐고 저를 다그쳤습니다. 제가 약속을 지키지 않는다고 생각해 배신감을 느꼈던 것 같아요. 그런데 요즘은 더 심합니다. 아이 얘기는커녕 아예 말도 하지 않으려고 해요. 제 사업이 어려워지면서 경제적인 부담이 커지자 미시는 다시 직장에 다니기 시작했고, 그것 때문에 아이 갖는 일은 이제 생각조차 못하게 됐죠. 물론 아내도 견디기 힘들 겁니다. 하지만 어쩌겠어요? 지금으로서는 다른 방법이 없는걸요. 이런 상황에서 아무 생각 없이 애를 낳는 건 너무 무책임한 행동 아닙니까? 게다가 요즘은 둘 다 일에 지쳐서 만나기만 하면 성질부터 부리니 서로 웃는 얼굴 보기도 힘들어요."

"제가 괜한 얘기를 꺼낸 것 같네요."

로저가 미안한 듯 말했다.

"아니요, 괜찮습니다."

앤드류가 손을 내저으며 말했다.

"유명한 경영자께서 여기까지 와주신 것만도 정말 감사드릴 일인걸요."

로저는 잠시 생각에 빠졌다. 자신의 문제만 해도 숨이 찬데 이런 상황에서 어떻게 앤드류를 도울 수 있을까 하는 의구심이 들었다.

그러나 자신에게 조언을 해주는 밥에게 생각이 미치자, 그런 회의의 먹구름이 말끔하게 가시는 느낌이 들었다.

'누구에게나 고민거리는 있는 법이야. 밥 아저씨도 마찬가지일 테지. 다만 밥 아저씨는 그 문제를 잠시 접어두고, 다른 사람들의 일에 관심을 갖고 도울 수 있는 방법을 터득한 거야. 당장 해결하지 못하는 자기 문제에만 빠져 허우적거리는 것보다는, 남의 문제에 관심을 갖고 돕는 편이 시간을 잘 활용하는 방법이라고 밥 아저씨는 믿고 있을 거야.'

로저는 속으로 고개를 끄덕였다. 로저가 단 한 시간만이라도 자신의 문제를 잊고 앤드류의 일에 집중한다면, 상대방뿐 아니라 로저 자신에게도 큰 도움이 될 것이었다.

사람들은 남을 가르칠 때 가장 큰 깨달음을 얻는 속성이 있다. 평소에는 무심코 지나쳤던 일이 남을 일깨워주는 와중에 불현듯 큰 깨달음으로 다가오곤 하는 것이다. 로저는 밥이 해준 조언 한마디 한마디가 진리였다는 것을 깨닫고 전율을 느꼈다.

그는 앤드류 부부의 문제가 프라이버시 영역이라는 생각이 들자 주제를 사업 쪽으로 돌리기로 했다.

"사업이 잘 안 풀리는 근본적인 이유가 뭐라고 생각하십니까? 혹시 상품수요를 너무 높게 예상한 건 아닐까요?"

로저가 조심스럽게 물었다.

"아니요, 오히려 그 반대입니다. 수요는 충분히 있습니다. 요즘은 더욱 증가 추세고요. 그래서 더 괴로운 겁니다. 이런 종류의 상품이 광고만으로는 팔리지 않는다는 걸 모르고 사업을 시작했던 거예요. 대부분이 아는 사람 소개로 물건을 주문하거든요. 예를 들어 어떤 사람이 펜이나 열쇠고리를 보고 마음에 들면 가게 주인한테 그 물건을 어디서 만들어왔는지 묻겠죠. 그럼 주인은 '어디에 있는 누구누구에게 가봐라. 내 소개로 왔다고 하면 잘해줄 거다' 뭐 이런 식으로 대답하는 겁니다. 저도 나름대로 노력했어요. 지역 신문에 광고를 내보기도 하고 회사마다 전화를 걸어 상품을 홍보하기도 했고요. 하지만 입에서 입으로 전해지지 않으면 이 사업은 가망이 없습니다. 킴브로우 사장님, 트리플에이도 초창기에는 힘든 일이 많았겠죠?"

"말도 못했죠. 하지만 다행히 조언을 해주시는 분들이 계셔서 큰 도움이 됐습니다. 지금도 많은 도움을 받고 있고요. 어쨌든 말씀을 종합해보면, 지금 가장 시급한 건 기본 고객층을 형성하는 거로군요."

로저가 말했다.

"맞습니다."

앤드류가 대답했다.

"일단 안정된 고객층만 형성되면 그 다음은 저절로 풀릴 겁니다. 한 고객이 또 다른 고객을 불러들이게 될 테니까요. 예전 직장 다닐 때의 경험에 비추어보면, 평균적으로 한 명의 고객이 새로운 고객 일곱 명을 소개하는 셈이더군요. 하지만 문제는 그 첫 번째 고객을 어떻게 붙잡느냐 하는 거죠. 언제나 그 부분에서 막히는 겁니다."

로저와 앤드류는 지방정부의 중소기업 지원 서비스 가운데 도움이 될 만한 것이 있는지 잠시 의논했다. 앤드류는 로저에게 사업 내역과 광고 전략 등을 설명하고, 상품 샘플도 몇 개 보여주었다. 로저는 진지한 태도로 설명을 듣고는 강한 인상을 줄 수 있는 광고에 대해 몇 가지 조언을 해주었다.

"제가 보기에는……."

로저가 잠시 멈췄다가 말을 이었다.

"지금도 충분히 잘 해나가고 계신 것 같습니다."

그는 트리플에이가 광고와 판촉에 어느 정도를 지출하고 있는지 생각해보았다.

"저한테도 브로슈어를 하나 주시겠습니까? 사무실에 한번 가져가 봐야겠네요."

"그렇게 해주신다면 정말 고맙죠."

앤드류는 기대에 부푼 표정으로 그에게 브로슈어와 샘플들을 건네주었다.

로저는 깔끔하게 만들어진 브로슈어를 읽어보았다. 'ASAP - 앤드류 팜스의 광고 판촉물' 이라는 글자(ASAP는 일반적으로 'As Soon As Possible' 의 약자로 사용된다. '최대한 빨리' 라는 의미 – 역주)가 가장 먼저 눈에 들어왔다.

"ASAP라…… 좋은 이름이네요."

로저가 미소를 지으며 말했다.

"일하시는 데 시간을 너무 많이 뺏었습니다. 이제 그만 가봐야겠네요. 가서 정원 손질도 하고, 저녁에는 아내가 영화를 보여주기로 했으니 데이트하는 사람답게 준비도 해야죠."

"데이트 준비요?"

앤드류가 로저의 말에 웃음을 터뜨리며 물었다.

"무슨 영화를 보실 건데요?"

"글쎄요, 아내가 고른 영화니까 분명 로맨틱 코미디나 멜로 영화 정도 되겠죠."

로저도 웃으며 대답했다.

"뮤지컬 영화만 아니면 좋겠네요."

"전 뮤지컬 영화도 좋던데요."

앤드류가 말했다.

"진심이세요?"

로저가 웃으며 물었다.

"물론이죠."

앤드류가 고개를 끄덕이며 대답했다.

"그런데 문제는 미시가 매우 싫어한다는 거죠."

두 사람은 기분 좋게 큰 소리로 웃었다. 로저는 일어나서 문을 향해 가다가 갑자기 걸음을 멈추고 앤드류를 돌아봤다.

"제가 참견할 일은 아니지만, 부인에 대해서는 너무 걱정하지 마세요."

로저는 앤드류가 고개를 끄덕이는 모습을 보며 말했다.

"솔직히 저도 이런 얘기를 할 처지는 못 됩니다. 우리 부부 역시 얼마 전까지만 해도 문제가 많았거든요."

"정말이요?"

"그럼요. 진부한 질문처럼 들리겠지만, 부인께서 아직 희망을 갖고 계신 것 같습니까?"

"잘 모르겠습니다."

앤드류가 힘없는 목소리로 대답했다.

"부인께 사랑한다고 말씀하시고, 부인이 얼마나 소중한 존재인지 이야기해주세요. 그러면 최소한 후회하실 일은 일어나지 않을 겁니다."

"미시는 정말 저에게 소중한 사람이에요."

"그럼 솔직하게 이야기해보세요. 지금의 어려운 상황을 함께 이겨내고 나면, 분명 좋은 날이 올 거라고 말입니다. 그리고 앞으로 다가올 밝은 미래가 그 어떤 것보다 큰 행복이라고 말이에요. 혼자만의 미래가 아니라, 가족과 함께하는 미래라는 것을 꼭 기억하셔야 합니다. 직장이든 사업이든, 일이라는 것은 결국 인생의 궁극적인 목적을 달성하기 위한 수단일 뿐이지 않습니까! 그 일에 이리저리 끌려다녀선 안 되겠죠. 가족에게 도움이 될 수 있게 잘 이용해야 합니다."

"아내가 이해해줄까요?"

"상상할 수 있는 것보다 훨씬 잘 이해해주실 겁니다."

로저는 말을 마치고 문을 향해 돌아섰다.

"성공적인 결혼 사업을 위해 오늘 얘기를 꼭 기억하세요."

로저는 앤드류에게 쏟아낸 자신의 말과 행동에 스스로 놀랐다. 한편으로는 밥에게 코치를 받고 있는 자신이 다른 사람에게 이런 말을 한다는 것이 아이러니하게 느껴지기도 했다.

"좋은 말씀 해주셔서 정말 감사합니다."

앤드류가 환하게 미소 지으며 말했다.

"시간 내서 들러주신 것도요."

"이렇게 하기로 합시다."

로저는 밥에게 선물받은 손목시계를 보며 말했다.

"시간이 괜찮으시다면 다음 주 토요일에도 이 시간에 잠깐 들르겠습니다. 사실 얼마 전부터 어떤 분께서 제게 유익한 조언을 해주고 계신데, 그 얘기를 전해드리고 싶군요. 분명 도움이 될 겁니다. 인생을 어떻게 살아야 하는지에 대한 여섯 가지 원칙 같은 건데 아주 간단해요. 시간을 많이 빼앗지는 않을 겁니다."

"좋죠."

앤드류가 흔쾌히 대답했다.

"저는 커피를 준비해놓겠습니다."

"그럼 그날 뵙겠습니다."

로저는 손을 흔들어 인사를 하고 집으로 향했다.

집에 도착하자 앞마당에 아내와 두 딸이 나와 있는 것이 보였다. 달린과 세라가 베카의 자전거에서 보조 바퀴를 떼어내고 있었다.

"아빠, 이것 보세요!"

베카가 자전거에 올라탄 채 로저를 소리쳐 불렀다.

"저도 이제 어른들처럼 두발 자전거를 타요."

"대단하구나."

그는 큰 소리로 베카에게 대답하고는 달린의 뒷목에 부드럽게 입을 맞췄다. 이런 애정 표현은 참으로 오랜만이었다.

작고 사소한 것이지만 너무도 익숙했던 그 많은 것들이 어쩌다가 낯설고 어색하게 느껴질 지경에 이르렀는지 이해할 수 없는 노릇이었다. 하지만 그보다 더 놀라운 것은 이 모든 즐거움과 행복이 마치 마법처럼 되살아나고 있다는 점이었다.

"우리 딸 정말 대단하지? 이제 막 보조 바퀴를 떼어냈는데 아주 잘 타고 있잖아."

달린이 말했다.

"애들이 참 빨리 자라지?"

로저가 달린을 바라보며 말했다.

"척은 아직 안 돌아왔고?"

"응, 척 얘기는 한 마디도 안 하네."

달린이 웃으며 대답했다.

"입 하나 줄어서 잘됐지?"

로저는 오전 내내 마당에서 잔디를 깎고 공구를 손질하며 시간을 보냈다. 가볍게 점심을 먹은 그는 이메일을 보내기 위해 노트북 컴퓨터를 밖으로 가지고 나와 정원 테이블 앞에 앉았다. 컴퓨터를 켜니 이웃 앤드류로부터 메일이 한 통 와 있었다. 로저가 부탁했던 몇몇 판촉 상품의 사양과 가격표가 첨부된 메일이었다. 로저는 다시 한번 그의 성실함과 꼼꼼함에 놀라며 그 메일을 비서 베키에게 전달하고 트리플에이의 크리스마스 선물로 사용할 물건을 ASAP에 주문해달라고 부탁했다.

로저는 일을 마친 후 마당에서 두 딸과 놀아주다가 영화를 보러 갈 준비를 하기 시작했다. 그는 깔끔하게 다려진 데님 셔츠와 푸른색 재킷을 입었다. 오랜만의 데이트인 만큼 달린이 가장 좋아하는 외출복을 선택한 것이다.

그는 마지막으로 작은 선물 상자가 들어 있는 재킷 주머니를 가만히 쓰다듬었다. 달린은 아이들이 할머니 댁에서 하룻밤을 보낼 수 있도록 필요한 것들을 챙겼고, 아이들은 마음이 들떠서 소란을 피워댔다.

준비가 끝났는지 아이들이 신나서 밖으로 뛰어나가자, 로저는 한 손으로 달린의 손을 잡고 다른 한 손으로 그녀의 등을 감싸 안았다. 검정색 크롭 바지와 자홍색 실크 톱을 입은 그녀의 모습은 눈부시게 아름다웠다.

달린은 살짝 놀란 듯 고개를 들어 로저를 바라보았다. 로저는 그 순간을 놓치지 않고 주머니에서 작은 선물 상자를 꺼냈다. 달린이 상자를 받아 들고 포장을 뜯자 반짝이는 귀걸이 한 쌍이 모습을 드러냈다. 달린은 수줍은 소녀처럼 두 뺨을 붉혔다.

"로저!"

그녀는 숨이 멎는 듯 탄성을 질렀다.

"너무 아름다워!"

말을 마치기가 무섭게 그녀는 그의 뺨에 입을 맞췄다. 다음에는 좀더 천천히 그의 입술에 키스를 했다.

"마음에 들어?"

로저는 그녀가 새 귀걸이를 해보는 것을 도와주며 물었다.

"그걸 말이라고 해?"

달린은 현관 거울에 자신의 모습을 비추어보며 말했다.

"아주 마음에 들어."

"지난 몇 달 동안 많이 힘들었지? 정말 미안해."

"그래, 솔직히 많이 힘들었어. 하지만 점점 좋아지고 있잖아. 얼마 전까지만 해도 이렇게 가다가 정말 돌이킬 수 없는 지경에 이르면 어쩌나, 남보다 못한 사이가 되면 어쩌나, 걱정 많이 했었어."

"자기가 했던 말들이 다 옳았는데, 난 그걸 이해하는 데 시간이 필요했던 것 같아."

"그래, 알아."

"사랑해."

로저가 그녀의 손을 꼭 잡으며 말했다.

"영원히……."

달린은 조용히 고개를 끄덕이며 미소로 답했다.

삶의 소비와 투자

  "어서 오게, 로저."

밥이 휴게실로 들어서는 로저를 밝은 목소리로 맞이했다.

"지난 일주일은 잘 보냈나?"

로저는 맞은편에 앉아 손목시계를 가볍게 흔들어 보였다.

"이 시계 덕분에 기분 좋게 보냈죠."

로저가 웃으며 대답했다.

"사람들이 시계를 보고는 다들 부러워하더군요."

"그럼 계속 차고 다니면 되겠군 그래."

밥도 얼굴 가득 웃음을 지으며 로저에게 녹차 잔을 건넸다.

"그럴 수는 없죠. 다음 주면 원래 주인에게 돌아갈 겁니다."

로저가 손가락으로 시계를 톡톡 두드리며 말했다.

두 사람은 각자 자신의 오렌지색 수첩을 꺼냈다. 로저는 이번 주부터 여섯 가지 지침을 이웃 앤드류에게도 전하기로 했다는 소식부터 알렸다.

"그리고 또……."

로저가 수첩을 들여다보며 말을 이었다.

"아주 흥미로운 사건이 있었어요. 임원회의를 마치고 우리 회사 자금관리 이사인 프레드와 열심히 계산기를 두드려본 다음에 드디어 결정을 내렸습니다. 우린 더 이상 가격을 낮출 수 없고, 따라서 최대 거래처인 크로킷스틸과는 영원히 작별을 하게 될 겁니다."

"과감한 선택을 했군."

밥이 말했다.

"크로킷스틸은 지나친 요구로 우리 모두를 너무 힘들게 했어요. 항상 가격을 낮춰달라고 하면서도 마감시간 직전에 주문을 변경해서 생산 비용을 높여놓곤 했죠. 게다가 작성해야 하는 서류는 또 어찌나 많은지. 그래서 결정했습니다. 물론 쉬운 일은 아니었지만 결정을 내린 이상 그대로 실행에 옮겨야죠."

"크로킷스틸에도 그 결정 사항을 전달했나?"

밥이 물었다.

"얼마 전 자선행사에서 우연히 그쪽 회장을 만났어요. 제가 살짝 귀띔을 했으니 아마 눈치 채고 있을 겁니다."

"아직 아무런 대답은 없고?"

"아직은 없어요."

로저가 대답했다.

"사실 이번 주 생산 주문은 이미 받아놓은 상태입니다. 다른 생산업체를 찾으려면 시간이 좀 필요하겠죠. 크로킷스틸은 큰 회사니까요."

"어쩌면 트리플에이와 계속 거래를 하려고 할지도 모르지."

밥이 로저를 떠보듯 말했다.

"그럴지도 모르죠. 하지만 기대는 안 하려고 해요. 직원들에게도 이미 얘기했지만, 여러 중소 업체들과도 거래를 하고 있으니 큰 타격을 입는 일은 없을 겁니다. 거대 기업 하나에 모든 에너지를 투자하는 대신 여러 중소 업체들과 좀더 신경 써서 거래를 하는 거죠. 전 잘될 거라고 믿어요. 무엇보다 이번 일을 통해서 배운 것이 있습니다. 앞으로는 절대 다른 회사에 의해 좌지우지되지 않을 겁니다."

"어쩌면 크로킷스틸은 자네가 정말로 거래를 끊을 생각인지, 아니면 가격을 가지고 협상을 하려는 생각인지 알아보기 위해 신경을 곤두세우고 있을 수도 있지."

밥이 말했다.

청소부 밥

우리는
우리의 인생에서
지속적으로 중요한 의미를 부여받을 만한 일들에
시간과 열정을 투자해야 합니다.

"협상이라뇨? 백 퍼센트 진심입니다."

로저가 말했다.

"거래 중단 소식이 순식간에 회사에 퍼졌는데 모두들 진심으로 기뻐하더군요. 그런 큰 거래처를 놓치면 회사가 위태로워지는 건 아닐까 걱정하는 직원들이 많을 거라고 생각하실지 모르겠지만, 완전히 정반대였습니다."

"그거 참 재미있군."

"직원들이 커다란 쿠키 위에 시럽으로 글자를 써서 보내왔더라고요. '트리플에이 만세! 이제 정상을 향해서!' 이렇게요."

"정말 멋지군."

밥이 소리 내어 웃으며 말했다.

"하마터면 눈물이 날 뻔했어요."

로저도 함께 웃음을 터뜨렸다.

"그 쿠키를 테이블에 올려놓고 모두 한 조각씩 나눠 먹으며 얘기도 나누고 농담도 하면서 즐거운 시간을 보냈습니다. 그 다음엔 모두들 어느 때보다 열정적인 태도로 다시 일을 시작했죠. 꼭 회사 초창기로 돌아간 것 같았어요. 정말 기분 좋았죠. 이제는 크로킷스틸에서 보내온 나머지 주문을 처리하는 일마저 모두 즐겁게 하고 있는 것 같습니다. 프레드가 그러더군요. 직원들이 저와 함께 일하는 것을 좋아한다고요. 이제 크로킷스틸이

아니라 제가 회사와 직원들의 미래를 책임지고 있다는 사실에
모두가 안도하고 있다고 말입니다."

"얘기를 듣고 보니 자네는 다섯 번째 지침을 이미 실행에 옮
기고 있는 것 같군."

밥이 미소 띤 얼굴로 말했다.

"그런가요?"

"자네 혹시……."

밥이 장난기 어린 눈으로 말했다.

"나 몰래 내 수첩을 미리 본 거 아닌가?"

"그럴 리가요. 하하하."

로저가 웃음을 터뜨리며 대답했다.

"그렇게 말씀하시니까 더 궁금해지는데요. 다섯 번째 지침은
뭐죠?"

"이것 역시 아주 간단하다네."

밥이 입을 열었다.

다섯 번째 지침: 소비하지 말고 투자하라.

밥은 로저가 스스로 그 의미를 생각해볼 수 있도록 잠시 말을
멈췄다.

"앨리스는 알뜰한 주부였다네. 수입이 꽤 넉넉해졌을 때도 절대 함부로 돈을 쓰지 않았어. 물론 다섯 번째 지침이 꼭 돈에만 해당하는 것은 아니야. 그보다 훨씬 넓은 의미로 해석해야 하지. 앨리스는 우리가 일생 동안 하는 일을 두 종류로 나눌 수 있다고 했네. 투자가 될 수 있는 활동과 단순한 소비 활동 말이야. 그리고 내가 별로 중요하지 않은 일에 매달려 기운을 빼고 있을 때면 이렇게 말해주곤 했어. '소비하지 말고 투자합시다'라고 말야."

"무슨 뜻인지 잘 모르겠습니다."

로저는 자세한 설명을 부탁하는 얼굴로 말했다.

"잘 생각해보면 아주 간단하다네."

밥이 말을 이었다.

"사실 자네는 자신도 모르는 사이에 이 지침을 실천하고 있었던 셈이야. 말로 표현하니까 낯설게 느껴질 뿐이지. 일을 하거나 어떤 결정을 내릴 때의 신체, 두뇌 활동을 한번 떠올려보라고. 그리고 그 모든 활동이 머지않은 미래에 어떤 결과를 가져올지 생각해봐. 자네에게 아주 중요한 의미가 있는 것인가? 더 나아가 자네 인생 전체에서 지속적으로 중요한 의미를 갖는 것인가?"

"인생 전체에서요?"

로저가 여전히 모르겠다는 듯 되물었다.

"흔히들 말하지 않나. 인생은 한 번뿐이라고."

밥의 설명이 이어졌다.

"앨리스와 나는 삶은 단 한 번뿐이므로 어떻게 사느냐가 중요하다고 믿었다네. 지난주에도 얘기했지만 우리는 신께서 인간을 만드실 때 모두에게 특별한 목적을 하나씩 맡겨주셨고, 우리 모두는 그 목적을 발견하고 이해하고 또 실천하며 살아가야 한다고 생각했던 것이지. 이 땅에 머무는 동안 신께서 내주신 숙제를 충실히 수행해야 하는 거라고. 앨리스와 나의 가장 큰 바람이 뭐였는지 아나? 이곳에서의 삶을 다 끝내고 마침내 '천국의 CEO'를 만나러 갔을 때, 그분께서 우리를 내려다보시며 '나의 착하고 충실한 아들 딸아, 잘 해냈구나!' 라고 말씀해주시는 거였다네."

"대단하네요."

로저가 말했다.

"하지만 하나님께서 정해주신 그 목적이 무엇인지 모르면 어떻게 하죠?"

"대부분의 사람들은 자기 입장에서 생각하고 자신이 원하는 것을 위해 최선을 다하지."

밥이 대답했다.

"하지만 자기 자신을 비우고 하나님의 말씀에 귀를 기울여보면 상황이 달라진다네. 그분께서는 언제나 우리가 들을 수 있도록 큰 소리로 분명하게 말씀하시거든. 그분께서 정해주신 목적을 이해하는 건 어려운 일이 아니라네. 쉽게 알 수 있지. 하지만 평생 자기 속에만 갇혀 사는 사람들은 그분의 목소리를 들을 수 없다네. 결국 두 부류의 사람들은 완전히 다른 삶을 살게 되는 거지. 자기 속에 갇혀 사는 사람들은 모든 것을 그저 '소비' 하는 데 그치지. 시간, 돈, 재능 등을 그냥 써버리기만 하는 거야. 하지만 하나님께서 정해주신 삶의 목적을 찾아내고 이해한 사람들은 이 모든 것을 그 특별한 목적을 위해 투자할 수 있게 된다네. 나는 일이 너무 많아 힘들고 지칠 때면 이렇게 자문했어. 내가 지금 누구의 목적을 위해 일하고 있는가? 내가 지금 하고 있는 일은 내 인생 전체에서 중요한 의미를 갖는 것인가? 중요한 의미를 갖는다는 건, 그 과정과 결과가 하나님께서 정해주신 목적을 달성하는 데 도움이 된다는 뜻이지. 더 나아가서 지금 내 행동이 다른 사람의 인생에도 영향을 줄 수 있는 것인지 생각해봐야 하는 것이고."

"좀 전에 제가 이미 다섯 번째 지침을 실천에 옮기고 있다고 말씀하셨잖아요."

로저는 여전히 혼란스러운 듯 말했다.

"하지만 우리 회사가 하는 일은 다른 사람들에게 중요한 영향을 주는 일은 아닌 것 같아요. 저희가 배고픈 사람들에게 음식을 제공해주거나 자선사업을 하는 것도 아니고요. 어쨌든 이번 지침은 아무래도 실천하기 힘들 것 같습니다."

"자넨 생각보다 고집이 세군."

밥이 한숨을 내쉬며 말했다.

"무슨 일에든 의문을 품는다는 건 좋은 태도지. 그 의문에 대한 대답을 열린 마음으로 받아들일 준비가 되어 있다면 말이야. 좀더 구체적으로 얘기해볼까? 크로킷스틸과의 관계에 대해 한번 생각해보세. 그 회사와 거래를 끊기로 결정했을 때 가장 중요한 이유가 뭐였지?"

"말씀드린 대로입니다."

로저가 대답했다.

"여러 가지 이유가 있지만 가장 중요한 것은 그들과의 거래가 우리 회사에 실질적으로 이득이 되지 않는다는 사실입니다. 크로킷스틸을 만족시키느라 엄청난 시간과 노력을 들여야 했고, 그러다 보니 다른 거래처에는 그만큼 신경 쓸 여력이 없어졌어요. 기회비용이 너무 컸던 겁니다. 게다가 직원들은 크로킷스틸 때문에 정신적으로 많이 지쳐 있었고요. 그쪽 제안을 거절했다는 소문이 퍼졌을 때 다들 얼마나 기뻐했는지도 말씀드렸잖습니까."

"맞아."

밥은 원하는 대답을 들었다는 듯 힘차게 고개를 끄덕였다.

"바로 그거야. 자네는 최근 몇 년 동안 크로킷스틸에 의지해 회사를 키워보려고 시간과 돈을 '소비' 했어. 하지만 이제 방향을 바로잡고서 올바른 목적을 위해 시간과 돈을 '투자' 하기로 한 것이지. 새로운 관계를 형성하고 새로운 기회를 찾으면서 말이야. 자네가 그 결정을 내리기 전에 직원들에게 설문조사를 했을 때, 자네는 이미 다섯 번째 지침을 실천에 옮겼다고 할 수 있네. 직원들과 그들의 가족에게 무엇이 중요한지를 먼저 생각했던 거니까. 직원들도 겉으로 표현은 안 했지만 몇 년 동안 많이 힘들었을 거야. 자네는 이번에 용감하고 현명한 결정을 내렸고, 그 결정 덕분에 직원들은 직장에서뿐 아니라 가정에서도 훨씬 더 많은 기쁨을 누릴 수 있게 되었네. 앞으로는 변덕을 부리는 거래처 때문에 내키지 않는 일을 억지로 할 필요가 없을 테니까. 가족들과의 관계도 달라질 거야. 가족이 짐스러운 존재가 아니라 축복이라는 걸 점차 깨닫게 되겠지. 자네도 말했지 않은가. 직원들이 그렇게 활기차게 일하는 건 처음 봤다고."

"그랬죠."

로저가 말했다.

"회사에 온통 에너지가 넘쳐흐르는 것 같았어요."

"바로 그거야."

밥은 이제야 말이 통한다는 듯 테이블을 손바닥으로 내려치며 말했다.

"내 생각에 이번 결정은 분명 자네 인생 전체에서 중요한 의미를 갖는 사건이 될 거네. 한 가지 더 얘기하자면 자네는 기독교인일세. 직원들은 자네의 행동 하나하나를 주시하고 있고. 만약 자네가 코앞의 이익에 눈이 멀어 돈을 위해 직원들을 부린다면, 아무도 자네가 믿는 그 신을 믿고 싶어 하지 않을 거야. 하지만 자네는 직원들의 건강과 행복을 위해 회사의 최대 고객을 포기했고, 이런 행동이 모든 사람에게 중요한 사실을 가르쳐줬어. 바로 자네가 눈앞의 이익보다 더 크고 숭고한 목적을 위해 일하고 있다는 것을 말일세. 로저 자네가 회사의 이익을 위해 직원들의 행복을 희생시키지는 않을 거라는 확신을 심어준 거야. 이제 무슨 말인지 이해하겠나?"

"네, 알 것 같아요."

"자네가 지금 하는 일이라는 것은, 단지 수단에 불과한 거라네. 자네는 그 수단을 이용해 하나님께서 자네에게 주신 임무를 충실히 수행해야 하는 것이지."

"아직은 제가 어떻게 그런 결정을 내리게 됐는지 정확히 모르겠지만, 방금 하신 말씀은 정말 가슴에 와 닿네요. 소름이 돋는 것 같습니다."

"나도 마찬가지였다네. 처음으로 인생의 목표에 대해 고민하기 시작했을 때는 막연하고 두렵기만 했었지. 다른 사람들에게 이런 인생의 지침에 대해 얘기하고 경험과 지식을 나눈다는 건 사실 큰 책임이 따르는 일이지 않나. 내가 과연 그런 일을 할 자격이나 있는 사람인지 의문이었지. '내가 남들보다 잘난 게 뭐가 있다고 이래라 저래라 충고를 할 수 있단 말인가' 라고 말이야. 하지만 앨리스의 생각은 달랐어. 우리가 이 세상에 머무는 시간은 한정되어 있고, 그 끝이 언제가 될지도 모르는 상황에서, 우리가 할 수 있는 최선은 바로 가치 있는 일에 시간을 '투자' 하는 거란 점을 명확하게 일깨워주었다네. 앤드류에게 자네의 시간을 '투자' 했던 것처럼 말일세. 조만간 자네가 그 젊은이의 인생에 얼마나 큰 영향을 끼치게 되는지 알게 될 거야. 이거야말로 인생에서 가장 가치 있는 투자라고 할 수 있지."

"그러고 보니 중요한 걸 잊고 있었네요."

로저가 생각난 듯 말을 꺼냈다.

"저한테 이렇게 많은 깨달음을 주셨는데 감사하다는 인사도 제대로 못 드렸습니다. 아저씨를 만난 후로 제 인생은 완전히 달라졌어요. 가정생활이나 직장생활 모두 전보다 훨씬 행복해졌어요. 감사합니다, 아저씨."

"그렇게 얘기해주니 정말 기쁘군."

밥이 온화한 미소를 지으며 말했다.

"나도 매순간이 즐거웠다네."

두 사람은 테이블을 정리하고 다정하게 악수를 나눴다.

"다음 주면 마지막 지침을 들을 수 있겠군요."

로저가 말했다.

"하지만 그 후에도 계속 뵐 수 있는 거죠? 시간 나실 때 저희 집에도 한번 들러주세요. 가족 모두가 뵙고 싶어 해요."

"나도 자네 가족을 만나보고 싶다네."

밥이 대답했다.

"활기차고 행복한 가족일 것 같아. 딱 내 스타일이지."

"그럼 약속하신 겁니다. 다음 주 월요일에 여기서 만나서 저희 집으로 가시죠. 다 같이 저녁식사를 하면 되겠네요."

로저가 말했다.

"저녁식사는 그 다음 주로 미뤘으면 좋겠는데……."

밥이 말끝을 흐렸다.

"수술 날짜가 잡혔는데 수술이 끝나고 나면 며칠 동안 음식을 가려 먹어야 할 것 같아서 말이야."

"수술이요?"

로저가 깜짝 놀라 되물었다.

"어디가 안 좋으신 거예요?"

"아니, 별거 아닐세."

밥이 손을 크게 내저으며 대답했다.

"그냥 의례적인 정기검진과 간단한 치료 정도지 뭐. 당일에 바로 퇴원할 수 있는 수술이라니까 걱정할 건 없네."

"혹시 제가 도와드릴 일이라도……."

로저가 여전히 근심 섞인 목소리로 물었다.

"신경 써주는 건 고맙지만 정말 아무것도 아니라네. 그럼 다음 주 월요일에 다시 만나기로 할까?"

"네, 월요일에 뵐게요."

로저가 인사를 했다.

"수술 잘 받으시고요."

"자네에게도 신의 축복이 있기를!"

밥은 휴게실을 나서는 로저에게 작별인사를 건넸다.

지혜와 나눔

화창한 토요일 아침. 로저는 오전 10시가 되자 앤드류를 만나러 가기 위해 집을 나섰다.

"킴브로우 사장님!"

앤드류가 문을 열며 반갑게 소리쳤다.

"트리플에이에서 주문이 들어왔어요. 어떻게 감사를 드려야 할지……."

"그래요? 벌써 주문을 했다고요?"

로저가 물었다.

앤드류는 머그잔에 커피를 따르며 대답했다.

"베키라는 분이 전화하셨는데 저희가 제안한 가격이 마음에 든다고 주문서를 팩스로 넣어주셨더군요."

"잘됐네요."

로저가 환하게 웃으며 말했다.

"저한테 고마워하실 거 없습니다. 전 그냥 브로슈어랑 가격표를 전해줬을 뿐이거든요."

"그래도 사장님이 안 도와주셨다면 불가능했을 겁니다."

앤드류는 여전히 웃음 띤 얼굴로 쿠키 한 접시를 내왔다.

"그 주문 덕분에 기운이 좀 나는 것 같습니다. 의욕도 생겼고요. 미시는 일 때문에 직접 감사 인사를 드릴 수가 없어서 대신이 아몬드 쿠키를 만들어놓고 나갔어요. 가족들과 함께 드시라고요."

로저는 그 중 하나를 집어 맛을 보고는 미소를 지었다.

"아주 맛있네요."

그는 맛에 감동했다는 듯 미시의 솜씨를 칭찬했다.

"전에 먹었던 브라우니도 맛있었는데. 혹시 사업이 잘 안 되더라도 걱정 없겠습니다. 베이커리를 열면 성공하겠는데요."

"글쎄요. 아마도 얼마 못 가 문을 닫아야 할걸요. 만드는 족족 제가 다 먹어치울 테니까요."

앤드류가 유쾌하게 웃음을 터뜨렸다.

"오늘은 밥 아저씨라는 분께서 전해주신 지침에 대해 말씀해 주시기로 했죠? 일주일 내내 궁금해서 견딜 수가 없었어요."

앤드류의 말에 로저는 작은 오렌지색 수첩을 꺼내며 입을 열었다.

"정확하게 말하자면 밥 아저씨의 부인 되시는 앨리스의 여섯 가지 지침이에요. 자, 그럼 시작해볼까요? 첫 번째 지침은 '지쳤을 때는 재충전하라' 입니다. 이 지침과 관련해서 밥 아저씨와 제가 겪은 일들을 차례대로 말씀드릴게요."

로저는 한 시간 가까이 열심히 얘기했고, 앤드류는 한 마디도 놓치지 않으려는 듯 그의 이야기에 열중했다. 로저는 지치고 힘들었던 날 우연히 『한계를 극복하는 사람들』이라는 책을 읽고 목표와 활력을 되찾았던 경험으로 이야기를 시작했다.

"자기보다는 다른 사람을 생각하는 마음으로 인간애를 발휘하는 사람들의 이야기를 읽으면 자신도 그런 경험을 하고 싶다는 생각이 들죠. 여기서 끝이 아닙니다. 책을 읽은 사람들은 그것을 생활에서 실천하려고 하기 때문에, 그 주위의 많은 사람들 또한 감동을 받게 됩니다. 밥 아저씨의 여섯 가지 지침도 마찬가지입니다. 이 지침을 처음 만든 사람은 아저씨의 부인이지만, 보세요! 지금은 제가 앤드류 씨에게 전해주고 있잖아요. 이 지침들은 작고 사소한 것들이지만 우리의 생활을 근본적으로 바꿔줄 겁니다."

로저는 잠시 목소리를 가다듬고는 말을 이었다.

"제가 회사 일과 집안 일로 최악의 상황에 빠져 있을 때, 저는 엉망진창인 삶을 바로잡기 위해서는 뭔가 거창하고 획기적인 방법이 필요할 거라고 생각했습니다. 하지만 이젠 아닙니다. 작은 행동이나 사소한 변화일지라도 방향만 올바로 잡혀 있다면 문제를 해결하는 데 큰 도움이 된다는 것을 깨닫게 되었죠. 밥 아저씨를 만나고 그분의 조언을 들은 후에 저는 맹세코 어떤 엄청난 변화를 일으키려고 하거나 제 생활을 180도 바꾸려고 해본 적이 없어요. 다만 어디로 가야 할지를 판단하고, 조금씩 아주 부드럽게 그 방향을 향해 움직였습니다. 하지만 그 효과는 저 자신도 믿을 수 없을 만큼 엄청났어요. 절 한번 믿어보세요."

"정말 대단하군요."

앤드류가 입을 열었다.

"당신처럼 유명한 경영인이 그런 어려운 시기를 겪었을 줄은 몰랐습니다. 밥 아저씨의 조언을 실천에 옮겼다는 얘기를 듣고 나니 용기가 생기네요. 저와 미시에게도 아직 희망이 있다는 생각이 들어요."

"간단한 일은 아니지만, 이것 한 가지만 지켜주세요. 앞으로 매주 저와 만나서 이 지침들을 모두 듣는 거예요. 어때요, 할 수 있죠?"

로저가 말했다.

청소부 밥

"물론입니다."

앤드류가 대답했다.

이야기가 끝난 후 두 사람은 다음 주 토요일에 다시 만나기로 약속했고, 로저는 쿠키가 담긴 접시를 들고 집으로 돌아왔다. 로저는 발걸음이 훨씬 가벼워진 것을 느꼈다. 마음도 편해졌고, 오랫동안 마음에 품고 있던 고민거리들도 한결 가볍게 느껴졌다.

그는 부엌으로 들어가 쿠키를 식탁 위에 올려놓으며, 점심 준비를 하고 있는 아내와 두 딸을 바라보았다. 아이들은 앙증맞은 꽃무늬 앞치마를 두르고 점심 준비에 여념이 없었다. 달린을 도와 로저도 바비큐에 필요한 도구들을 준비해 테라스에 내놓기 시작했다.

그때 그의 집 앞에서 자동차 멈추는 소리가 들렸다. 로저는 은빛으로 번쩍이는 낯선 고급 승용차 한 대가 집 앞에 서는 것을 보고 운전자가 길을 잃었나보다고 생각했다. 하지만 놀랍게도 차 안에서 모습을 드러낸 사람은 크로킷스틸의 회장인 바튼 우즈였다.

로저는 가슴이 철렁 내려앉았다. 그는 우즈 회장이 가격인하에 대한 얘기만큼은 꺼내지 않기를 간절히 바랐다. 가족의 단란한 시간을 망치고 싶지 않았던 것이다.

"안녕하세요."

로저가 어색하게 인사를 건넸다.

"이 동네엔 어쩐 일로……."

"나도 어떻게 된 건지 모르겠네."

우즈 회장이 대답했다.

"토요일 아침에 날씨가 화창해서 드라이브나 하려고 나왔는데, 어디서 길을 잘못 들었는지 어느새 여기까지 와 있더군. 바로 자네 집 앞까지 말이야."

"시간 잘 맞추셨습니다. 바비큐 파티를 하려고 지금 막 그릴에 불을 붙이고 있었거든요."

로저가 말했다.

"혹시 바비큐가 실패하더라도 걱정하진 마세요. 부엌에서 아이들이 햄버거를 만들고 있으니까요."

달린은 우즈 회장에게 반갑게 인사를 건네고 테라스에 마련된 자리로 그를 안내했다. 아이들은 부끄러운지 쭈뼛쭈뼛 인사를 하는가 싶더니 금세 부엌으로 도망쳐버렸다. 달린이 샐러드를 가지러 부엌으로 들어가자 우즈 회장은 이때다 싶었는지 사업 얘기를 꺼냈다.

"로저, 사실은 할 얘기가 있다네."

우즈 회장이 진지한 표정으로 입을 열었다.

"요즘 가격 경쟁 때문에 스트레스를 엄청 받게 되는군. 회사

청소부 밥

가 유럽 진출을 추진 중이거든. 자네도 어떤 상황인지 짐작은 하고 있지?"

"그럼요. 경쟁이 치열하죠."

로저가 대답했다.

"맞아."

우즈 회장이 말을 받았다.

"그래서 우리 회사는 좀더 낮은 가격으로 제품을 제공해줄 수 있는 업체를 찾는 데 혈안이 되어 있네. 직원들은 불쌍하게도 별 소득도 없이 밤낮으로 고생만 하고 있고."

"무슨 말씀이신지……."

"단도직입적으로 얘기하지."

우즈 회장은 심각한 표정을 지으며 말했다.

"솔직히 나도 요즘 회사 돌아가는 꼴이 마음에 들지 않아. 재미라고는 눈곱만큼도 없고 다들 힘들어하는 게 눈에 보이지. 짐작이 가지 않나?"

"그럼요, 알다마다요."

로저가 자신 있게 대답했다.

"저희 회사도 그런 시기를 겪었으니까요. 회장님, 저에게 일일이 설명하실 필요 없습니다. 각자의 위치에서 자신에게 필요한 결정을 내리는 것뿐이니까요. 더 이상 함께 일할 수 없게 된 것은 유감이지만, 그 얘기는 이제 그만 했으면 합니다."

"그러지 말고 잠깐 내 얘기 좀 들어보게. 내가 이렇게 자네를 찾아온 건 전화로는 하기 어려운 얘기를 하고 싶어서라네."

우즈 회장이 조심스럽게 말했다.

"나는 자네의 경영 방식을 항상 존경해왔다네. 자네는 판단력도 뛰어나고 품성도 훌륭하지. 놀라운 재능으로 회사를 잘 이끌어가고 있어."

"고맙습니다."

로저는 예상하지 못했던 칭찬에 약간 당황스러워하며 말했다.

"진심이야."

우즈 회장이 말을 이었다.

"그동안 많이 생각해봤다네. 우리는 꽤 오랫동안 함께 일하며 돈독한 관계를 쌓아왔지 않나? 나는 자네와 자네의 직원들을 신뢰하네. 우리 직원들과 이번 일에 대해 의논할 때도 그런 점을 부각시키려고 노력했어. 지금 우리 회사가 이렇게 성공하기까지는 트리플에이의 공이 컸다는 것을 잊지 말자고 말했지."

"그렇게 말씀해주시니 고맙습니다."

로저가 말했다.

"사실 저희도 크로킷스틸에 대해 항상 고맙게 생각하고 있습니다. 물론 최근에는 상황이 안 좋았지만, 저와 저희 회사를 믿고 큰일을 선뜻 맡겨주신 은혜는 앞으로도 절대 잊지 못할 겁니다. 혹시라도 이번 일 때문에 제가 마음 상했을까봐 걱정하시는 거라면 안심하세요. 그런 일은 절대 없으니까요."

"그렇게 생각하고 있다니 기쁘군. 사실 우리는 거래처를 바꾸지 않기로 결정을 내렸거든. 크로킷스틸은 계속해서 트리플에이와 거래를 할 것이고 힘을 합해서 최선의 방법을 찾아보기로 결론을 내렸다네."

로저는 달린이 준비해준 아이스티를 마시다 말고 깜짝 놀라 기침을 하기 시작했다. 로저의 기침 소리에 달린이 뛰어나왔다. 아이들도 엄마를 따라 테라스로 나왔다.

"괜찮아?"

달린이 로저에게 물었다.

"그럼. 괜찮다뿐이겠어."

로저는 고개를 돌려 우즈 회장을 보며 말했다.

"뭐라고 말씀드려야 할지 모르겠네요. 최저 가격을 제안한 회사와 거래를 시작하실 거라고 생각했는데요."

"거의 그럴 뻔했지."

우즈 회장이 대답했다.

"하지만 그건 잘못된 결정이라는 생각이 머릿속에서 떠나질 않았어. 그 생각 때문에 한동안 괴로웠지."

"저희를 그렇게 힘들게 하셨으니 그 정도는 감수하셔야죠."

로저가 웃으며 말했다.

"맞아. 나도 인정한다네."

우즈 회장 역시 웃음을 띠며 대답했다.

"정말 안타까워. 어쩌다 상황이 이렇게 변해버렸는지. 전에는 직원들과 일하는 것 자체가 아주 즐거웠어. 항상 새로운 아이디어가 넘쳐났지. 하지만 요즘은 아침에 눈을 뜨면 회사에 나가야 한다는 게 두려울 정도야."

"제 생각에는……."

달린이 로저에게 살짝 눈짓을 보내며 조심스럽게 대화에 끼어들었다.

"회장님도 밥 아저씨를 만나보셔야 할 것 같은데요."

그 말에 로저는 고개를 젖히고 큰 소리로 웃었다.

"밥 아저씨라니? 그게 누군가?"

우즈 회장이 물었다.

"달린 말이 맞아요."

로저가 말했다.

"한 달 전만 해도 저 역시 지금의 회장님과 똑같은 기분을 느끼고 있었습니다. 그런데 밥 아저씨를 만나고 나서 모든 게 달라졌죠. 밥 아저씨는 저희 회사 사무실 청소부인데 그분한테서 세상 무엇보다 값진 가르침을 얻었어요. 밥 아저씨를 만나면 회장님도 분명 그분을 좋아하시게 될 겁니다."

"청소부라고?"

우즈 회장은 당황한 듯 로저의 말을 받았다. 로저가 고개를 끄덕이자 우즈 회장은 다시 한번 그에게 물었다.

"청소부가 사업에 대해 조언을 해준단 말인가?"

"밥 아저씨를 만나보시면 무슨 뜻인지 아시게 될 겁니다."

로저가 대답했다.

"다음 주 월요일에도 만나기로 했으니 회장님 얘기를 해볼게요. 아마도 기꺼이 시간을 내주실 겁니다."

"그러지, 뭐."

우즈 회장이 말했다.

"자네가 그토록 존경하는 분이라니 나도 꼭 만나보고 싶군."

"오늘 이렇게 찾아와주시고 좋은 소식까지 전해주셔서 정말 고맙습니다."

로저가 밝은 미소를 지으며 말했다.

"그동안 마음이 무거웠는데 덕분에 기분이 한결 좋아졌습니다. 회장님도 말씀하셨지만, 크로킷스틸과 함께 일한다는 것이 저희에게도 큰 즐거움이었는데 어느 순간부턴가 모두 힘들어지기 시작했어요. 오늘 회장님께서 하신 말씀을 들으면 저희 직원

모두가 기뻐할 겁니다. 프레드에게도 빨리 이 기쁜 소식을 전해주고 싶네요. 아마 놀라서 뒤로 자빠질 거예요. 자, 이제 일 얘기는 그만 하고 파티를 시작해볼까요. 음식이 다 타버리기 전에 어서 드세요."

로저는 음식을 입에 넣으며 사람들을 둘러보았다. 그의 가장 소중한 친구이자 인생의 동반자인 달린이 환하게 웃고 있는 모습이 눈에 들어왔다. 아이들은 배가 고팠는지 허겁지겁 접시에 얼굴을 파묻었다. 마지막으로 조금 전 반가운 소식을 전해준 그의 오랜 비즈니스 파트너가 보였다.

갑자기 이 모든 것이 너무나 큰 축복처럼 느껴졌다. 로저는 조용히 감사의 기도를 드렸다.

'저희 가족과 제 일을 축복해주시고, 밥 아저씨를 만날 수 있게 해주셔서 감사드립니다.'

식사를 마친 로저는 앤드류가 준 쿠키를 디저트로 먹으면서 우즈 회장을 향해 말했다.

"그나저나 자동차가 정말 멋지네요. 고상해 보이는 것이 회장님 지위에 딱 맞는 것 같습니다."

"그런가?"

우즈 회장이 웃으며 말했다.

"자네 손목시계는 어떻고? 굉장히 비싸 보이는데. 크기는 다르지만 값은 내 차와 비슷할 것 같군."

"사실 이건 밥 아저씨께서 주신 거예요."

로저가 대답했다.

"방금 전에 말씀드린 분 말입니다. 그분이 가르쳐주신 지혜를 잘 기억하겠다는 뜻에서 몇 주 동안만 제가 차고 다니기로 한 거죠."

"사업에 대한 조언만 해주시는 줄 알았더니 이런 값진 선물도 주시는구먼. 그렇다면 나도 그분을 꼭 만나봐야겠는걸."

"그럼요."

로저는 미소 띤 얼굴로 연신 고개를 끄덕였다.

"곧 만나시게 될 거예요."

세상에서 가장 값진 유산

로저의 눈에 먼저 띈 것은 청소도구 카트였다. 카트는 회의실 밖에 세워져 있었는데 청소부 유니폼을 입은 키 크고 마른 남자가 회의실에서 나오더니 카트에서 세제를 집어 드는 것이었다. 그는 로저를 보자 말없이 고개 숙여 인사를 건네고는 곧 자신의 일을 시작했다. 로저는 망설이다 용기를 내어 물었다.

"밥 아저씨와 함께 일하시는 분인가요?"

"누구요?"

남자가 오히려 되물었다.

"밥 티드웰 씨요. 월요일마다 이 건물을 청소하러 오시는 분인데요."

"아, 그렇다면 저는 모르는 분입니다."

남자가 대수롭지 않다는 듯 대답했다.

"원래 일하시는 분이 오늘 결근이라기에 제가 대신 일하러 온 겁니다. 무슨 일이 있나 보죠."

"그분한테 안 좋은 일이라도 생긴 건가요?"

로저가 눈을 크게 뜨며 물었다.

"잘 모르겠습니다."

남자가 대답했다.

"저는 그냥 오늘 하루만 대신 청소해달라는 말밖에 못 들었 거든요. 원하시면 사무실에 전화해서 물어봐드릴까요?"

"아니에요. 괜찮습니다. 일하는 중이라 바쁘실 텐데요. 그럼 이만……."

로저는 사무실로 돌아와 멍한 표정으로 컴퓨터 전원을 껐다. 불길한 예감이 자꾸 그를 괴롭혔다. 밥은 약속을 어길 사람이 아니었다.

'밥 아저씨도 나만큼이나 월요일의 만남을 고대하셨지 않았 던가.'

메시지나 전화 한 통 없이 약속을 어기는 건 아저씨답지 않은 행동이었다.

뭔가 안 좋은 일이 있는 게 틀림없었다. 로저는 밥이 소속된

팝스클리닝 청소회사에 전화를 걸어 무슨 일이 있는지 확인하기로 마음먹었다. 그는 베키의 수첩에서 그 회사 전화번호를 찾아내고는, 무엇이든 꼼꼼하게 기록하고 정리해두는 그녀에게 마음속으로 감사를 보냈다.

"팝스클리닝입니다. 무엇을 도와드릴까요?"

노래를 부르는 듯한 경쾌한 목소리가 들려왔다. 로저는 상황을 설명하고 밥에게 무슨 일이 있는지 물었다. 전화를 받은 직원은 그에 대한 소식을 동료들에게 물어보는 듯 잠시 아무런 대답이 없었다.

"오늘 못 나오셨다는군요. 대신 다른 분을 보내드렸는데 혹시 그분마저 안 나와서 그러시는 건가요?"

"아니요, 그런 건 아니에요."

로저가 대답했다.

"그분은 정시에 오셔서 벌써 일을 하고 계세요. 저는 그냥 밥 아저씨에게 무슨 일이 있는 건 아닌지 걱정이 돼서요."

"죄송하지만 저도 자세한 사정은 모르겠습니다."

그러나 전화를 받은 사람은 자기네 직원을 걱정해주는 로저의 따뜻한 마음에 감동을 받은 듯했다.

"다른, 더 필요한 건 없으신가요?"

"네."

청소부 밥

로저는 실망한 목소리로 대답했다.

"어쩔 수 없죠. 어쨌든 도와주셔서 고맙습니다."

"즐거운 저녁 시간 보내세요, 킴브로우 사장님."

직원이 전화를 끊으려는 순간, 로저는 다시 한번 용기를 내어 말을 꺼냈다.

"잠깐만요. 사실 밥 아저씨와 저는 우연한 기회에 친해져서 개인적인 얘기도 주고받곤 했는데요, 저번 주에 무슨 수술을 받으실 거라고 하셨거든요. 그래서 혹시 수술을 받으시다가 무슨 문제가 생긴 건 아닌지 걱정이 됩니다만."

"그렇군요."

직원은 잠시 고민하는 듯 말이 없다가 다시 입을 열었다.

"혹시 그분 소식을 아는 분이 있는지 한번 찾아볼게요."

시간이 꽤 흐르고 난 후 수화기에서 다른 사람의 목소리가 들려왔다.

"기다리시게 해서 죄송합니다, 킴브로우 사장님. 저는 제임스 노먼입니다. 팝스클리닝서비스 사장이죠. 밥 티드웰 씨에 대해 물으셨다고요?"

로저는 그동안 밥과 있었던 일들을 설명하며 오늘 그가 연락도 없이 약속시간에 나타나지 않아 걱정이 되어 전화했다고 말했다.

"혹시 저 때문에 회사에서 밥 아저씨의 입장이 곤란해지지는 않겠죠?"

로저가 걱정스러운 듯 물었다.

"그럴 리가요."

노먼이 대답했다.

"킴브로우 사장님께서 그분을 그렇게 생각해주시는 마음, 저도 이해합니다. 그분은 8년 전 제가 이 사업을 시작할 때도 큰 도움을 주셨죠. 그분의 화려한 경력에 비하면 보잘것없는 자리지만 잠시 회사 임원직을 맡아주기도 하셨고요. 그분은 세상을 조금이라도 더 깨끗하게 하는 데 도움이 되고 싶다고 말씀하셨습니다. 안 좋은 소식을 전해드리게 돼서 저도 마음이 아픕니다만, 티드웰 씨는 지금 병원에 계십니다. 저도 오늘 아침 병원에 다녀왔어요. 상태가 그리 좋지는 않더군요. 뵙고 싶으시면 메소디스트병원으로 가보십시오."

로저는 감사의 인사를 건넸다. 그는 팝스클리닝이 제공하는 수준 높은 서비스에 대한 칭찬의 인사도 잊지 않았다.

전화를 끊은 후 로저는 서둘러 차를 타고 메소디스트병원으로 향했다. 가는 길에 달린에게 전화를 걸어 밥의 소식을 전했다. 달린은 로저가 병원이라면 질색을 한다는 사실을 떠올리고는 함께 가자고 말했다. 하지만 그녀는 로저가 진정으로 무서워하는 것이 무엇인지 모르고 있었다.

로저는 자신이 아파서 병원에 가는 것을 두려워한 게 아니었다. 어느 날 갑자기 병원에서 전화가 걸려와 달린이나 그의 부모님, 혹은 상상하기도 싫은 일이지만 세라나 베카에 대한 안 좋은 소식을 전하면 어쩌나 하는 두려움 때문에 병원을 무서워했던 것이다.

로저는 목덜미로 식은땀이 흘러내리는 것을 느끼며 불길한 생각을 몰아내려고 애썼다. 그는 달린에게 마음은 고맙지만 집에서 아이들을 돌봐달라고 부탁하고 혼자 병원으로 향했다.

그는 안내 데스크에서 가르쳐준 대로 곧장 중앙 병동으로 향했고, 그곳에서 몇 번 더 안내를 받은 후 마침내 밥이 입원한 병실을 찾을 수 있었다.

그가 조심스럽게 병실 문을 열고 안을 들여다보자 침대 옆에 서 있던 간호사가 들어와도 좋다는 손짓을 보냈다.

"환자는 잠들었나요?"

로저는 불안한 마음에 밥을 똑바로 쳐다보지도 못하고 간호사를 향해 낮은 목소리로 물었다.

"들어오셔도 돼요."

간호사 역시 침대 머리맡을 가리키며 낮은 목소리로 말했다.

"잠이 들었다 깼다 하세요. 저는 몇 분 후에 다시 올게요. 혹시 무슨 일이 생기면 왼편에 있는 버튼을 눌러서 저를 부르시면 돼요."

간호사는 조용히 밖으로 나갔고 로저의 눈은 금세 어둠에 익숙해졌다. 침대는 머리 쪽을 비스듬히 올려놓은 상태였고, 밥은 눈을 감은 채 누워 있었다. 숨을 쉴 때마다 그의 가슴이 위아래로 움직이는 것이 보였다. 수많은 모니터에 둘러싸여 침대에 힘없이 누워 있는 그의 모습이 너무나 왜소하게 느껴졌다. 그의 팔과 가슴에는 작은 튜브들이 여러 개 연결되어 있었다.

로저는 병실 구석에 있는 의자에 앉아 고개를 숙였다. 어서 의사나 간호사가 와서 뭔가 설명을 해줬으면 하는 마음이 간절했다. 그는 밥에게 도움이 될 만한 일이 없을까 생각하다가 눈을 감고 기도를 하기 시작했다.

갑자기 방안이 밝아지는 바람에 로저는 깜짝 놀라 눈을 떴다. 밥 아저씨가 살짝 미소 띤 얼굴로 그를 바라보고 있었다. 잠에서 깨어 침대 옆에 있는 독서등을 켠 모양이었다.

"날 위해 기도하는 건가?"

그의 목소리는 여전히 유쾌했지만 기운이 없는지 가볍게 떨리고 있었다.

"네."

로저는 침대 옆에 있는 의자로 자리를 옮겼다.

"고맙네."

"뭐 좀 갖다 드릴까요? 좀 어떠세요?"

"잘 모르겠네."

밥은 숨 쉬기가 힘든지 잠시 말을 멈췄다.

"의사들 말로는 이나마도 잘 버티고 있는 거라고 하더군. 너무 오래 달고 다닌 병이라 몸도 이젠 지쳤나봐. 겉은 아직 쓸 만한데 속은 수명을 다한 것 같아. 수술을 견뎌내기에는 몸이 너무 지쳐 있었던 것인지도 모르지."

"하지만……."

로저는 말을 잇지 못하고 머뭇거렸다. 침착하려 했지만 자꾸 눈에 눈물이 고였다.

"나 때문에 슬퍼하지 말게, 로저."

밥이 말했다.

"난 슬프지 않아. 가족과 친구들 그리고 앨리스 덕분에 나는 행복한 인생을 살았다네. 더 이상 바랄 게 뭐가 있겠나? 내가 아프다니까 우리 아이들이 손주들까지 데리고 전부 병원으로 달려오는 바람에 시끌벅적했지. 뭐라도 좀 먹고 오라고 떠밀다시피 내보냈어. 난 정말 운이 좋은 사람이야. 자네도 내 나이쯤 되면 무슨 뜻인지 이해할 수 있을 거야."

"그런 말씀 마세요."

로저가 말했다.

"앞으로도 건강하게 오래오래 사셔야죠. 절대 포기하시면 안 돼요."

"포기라니."

밥은 한층 더 밝게 미소를 지으며 말했다.

"난 절대 포기하지 않아. 지금까지 그래왔던 것처럼 매순간 최선을 다하고 있지."

로저는 눈물을 닦으며 병실을 둘러보았다. 서랍장 위에 작은 꽃다발 하나가 놓여 있을 뿐 방 안은 썰렁할 정도로 텅 비어 있었다. 그것을 보고서야 로저는 급하게 오느라 꽃다발을 준비하지 못했다는 사실을 깨달았다.

"좀 쉬시는 게 좋겠어요."

로저가 말했다.

"피곤하시죠?"

"아니."

밥이 대답했다.

"쉴 시간은 앞으로 얼마든지 있어. 자, 조금 늦었지만 우리 할 일을 시작해볼까?"

"무슨 말씀이세요?"

로저가 물었다.

청소부 밥

"무슨 말씀이라니?"

밥은 일부러 나무라는 듯한 표정을 지으며 말했다.

"오늘이 무슨 날인지 잊었나? 오늘은 월요일이야. 우리가 항상 만나는 날 말이야."

"아, 그거요."

로저가 말했다.

"그건 다음으로 미루죠. 지금은 말씀하시느라 기운 빼는 것보다는 그냥 쉬시는 게 더 좋을 것 같아요."

"그럴 수는 없지."

밥이 말했다.

"오늘 일은 오늘 해야지. 어디 보자……."

그는 눈을 감은 채 한동안 아무 말도 없었다. 로저는 밥이 다시 잠든 것으로 생각해 안도의 한숨을 내쉬었다.

"그래, 맞아!"

그때 밥이 다시 눈을 뜨며 외쳤다.

"오늘이 마지막 지침을 이야기해주는 날이지?"

"네, 맞아요."

로저가 대답했다.

"여섯 번째 지침을 말씀해주신다고 하셨어요."

"수첩 가지고 왔나?"

얼마나 오래 사는지는
중요하지 않습니다.
어떻게 사느냐가 중요하죠.
내가 깨달은 지혜를
후대에 물려주는 삶……
그것만이
진정 가치 있는 삶입니다.

밥이 물었다.

"물론이죠."

로저가 오렌지색 수첩을 꺼내며 대답했다.

"아저씨 수첩도 갖다드릴까요?"

"아니, 괜찮아."

밥이 말했다.

"이건 외우고 있다네."

밥은 강한 눈빛으로 로저를 뚫어지게 바라보다 손을 내밀었다. 로저는 말없이 그의 손을 잡았다. 밥의 손은 가볍고 매끈한 종잇장 같았다. 밥은 로저를 잡은 손에 살며시 힘을 주며 입을 열었다.

"삶의 지혜를 후대에 물려주라."

밥은 말을 마치고는 머리를 베개에 깊이 파묻으며 숨을 고르려고 노력했다. 그는 천천히 호흡을 가다듬으며 다시 한번 되풀이했다.

"과거로부터 물려받기만 하지 말고, 내가 깨달은 지혜를 후대에 물려주라."

로저는 숨을 죽이고 밥의 설명을 기다렸다. 밥은 잠시 미소를 짓더니 이내 눈을 감았다. 숨소리가 점점 느려지고 손에서 힘이 빠져나갔다. 밥은 다시 잠이 들었다.

로저는 밥의 손을 잡은 채 불을 끄고 그의 곁에서 다시 기도를 시작했다. 시간이 얼마나 지났을까, 밥의 숨소리는 이제 더욱 가늘어져 들리지 않을 정도였다. 그때 조용히 문이 열리더니 간호사가 들어와 환자의 상태를 확인했다. 로저는 간호사가 잘 볼 수 있도록 침대 옆자리를 내주었다. 그러곤 자신의 오렌지색 수첩에 오늘 배운 마지막 지침을 써 내려갔다.

여섯 번째 지침: 삶의 지혜를 후대에 물려주라.

로저는 밥이 준 손목시계를 바라보며 한숨을 내쉬었다. 이어서 수첩에 기록해놓은 것들을 다시 한번 읽어보았다.

밥을 만난 후 그는 많은 일을 겪었다. 달린과의 고통스럽던 불화는 어느덧 기억에서 사라졌다. 로저와 달린은 이제 그 어느 때보다도 서로를 가깝게 느끼고 있었다. 세라와 베카, 이웃집의 앤드류, 크로킷스틸의 바튼 우즈 회장 등 모두가 마치 보이지 않는 끈으로 연결되어 있는 것 같았다. 로저와 주변 사람들은 전보다 행복해졌고 희망으로 가득 차 있었다. 모두 밥이 있었기에 가능한 일이었다.

밥이 이 모든 사람들에게 영향을 준 것이다. 로저라는 한 사람을 통해서.

로저는 환자가 편히 쉴 수 있도록 병실 밖으로 나왔다. 그가 문을 닫으려는 순간, 뒤에서 잘생긴 젊은 남자가 다가왔다.

"혹시 킴브로우 씨 아니십니까?"

"네, 그런데요."

로저는 깜짝 놀라며 대답했다.

"저는 밥 티드웰 씨의 사위 되는 사람입니다."

남자가 환하게 웃으며 자신을 소개했다.

"장인께서 당신이 여기 올지도 모른다고 하셨거든요. 월요일마다 정기적으로 갖는 모임이라고 하시면서요. 그래서 저희를 막무가내로 쫓아내셨죠."

"그랬군요."

로저가 미소를 지으며 말했다.

"우리 둘뿐이지만 모임이라면 모임이죠. 밥 아저씨는 저와 잠깐 얘기를 나누다가 다시 잠이 드셨습니다."

"이렇게 와주셔서 고맙습니다."

남자는 공손한 태도로 감사의 인사를 전했다.

"솔직히 병실에 들어섰을 때 아무도 없어서 이상하게 생각했습니다."

로저가 말했다.

"그리고 방도 텅 비어 있고……."

"아, 그거요?"

그는 재미있다는 듯 키득키득 웃으며 말했다.

"사실 꽃다발이 너무 많이 들어와서 난리가 났었습니다. 그러자 장인께서 다른 환자들에게 나눠주라고 하셨어요. 아마 이병동에 있는 환자들 모두 하나씩은 받았을 겁니다."

"그런 일이 있었군요."

로저는 그의 설명에 웃음을 지으며 고개를 끄덕였다.

이때 다른 가족과 친지들이 하나 둘씩 대기실에 들어와 로저 주위로 몰려들었다. 시간이 갈수록 그 숫자가 불어났고, 사람들은 저마다 재미있는 얘기로 다른 이에게 즐거움을 주고 교감을 느끼면서 슬픈 마음들을 위로해주었다.

시간이 꽤 늦었지만 로저는 발걸음이 떨어지지 않았다. 비록 밥의 곁을 지키고 있을 수는 없지만, 자신이 병원에 있음으로 해서 밥에게 힘을 보탤 수 있을 것 같았다. 그렇게 하면 그가 이 세상에 머물 수 있는 시간을 조금이라도 더 연장시킬 수 있을 것 같은 생각이 들었다.

집으로 돌아오는 차 안에서 로저는 밥과 나눈 대화들을 떠올려보았다. 밥과 처음으로 만났던 날 저녁, 회사 복도에 울려 퍼지던 그의 힘찬 노랫소리가 귓가에 생생하게 들려오는 듯했다.

집 앞 차고에 들어서며 로저는 부엌에 불이 밝혀져 있는 것을

청소부 밥

보고 반가운 마음이 들었다. 달린이 아직 자지 않고 그를 기다리고 있었던 것이다. 밥이 즐겨 부르던 아리아가 다시 한번 그의 귓가에 울려 퍼졌다.

"어느 누구도 잠들 수 없네, 어느 누구도 잠들 수 없네……."

* * *

다음 날 아침, 로저는 밥을 만나기 위해 병원에 들렀다. 그가 병실에 들어섰을 때 놀랍게도 밥은 침대에 앉아 간호사들과 활기차게 이야기를 나누고 있었다.

"자네 왔군, 로저!"

밥이 큰 소리로 그를 반겼다.

"안 그래도 자네가 좀 와줬으면 했는데."

밥은 미소 띤 얼굴로 앉아 간호사가 모니터를 체크하고 주사 바늘과 튜브 정리를 끝낼 때까지 잠자코 기다렸다. 밥은 그 많은 도구들이 마치 자신의 일부인 것처럼 자연스럽게 행동했다. 어제보다 혈색이 좋아 보였고 숨 쉬는 것도 훨씬 편해진 것 같았다.

기운을 차린 밥의 모습을 보며 로저는 안도의 한숨을 내쉬었다. 침대에 붙은 작은 테이블에는 성경과 오렌지색 수첩이 놓여 있었고, 그 옆에는 여러 가지 모양의 색종이가 쌓여 있었다. 분명 밥의 손자손녀들이 할아버지를 위해 만든 작품들일 것이다.

"몸은 좀 어떠세요?"

로저가 물었다.

"꼭 커다란 세탁기 속에서 빙글빙글 돌다가 나온 것 같구먼. 아직 살아 있는 게 신기할 정도라네."

밥은 장난치듯 대답했다.

로저는 밥의 눈을 바라보았다. 그의 눈은 약간 지쳐 있었지만, 여전히 살아 있었다. 죽음에 대한 공포 같은 것은 전혀 찾아볼 수 없었다.

"그런 말씀 마세요."

로저가 부드럽게 말했다.

"앞으로도 건강하게 오래오래 사실 겁니다."

"얼마나 오래 사느냐는 중요하지 않다네."

밥은 몸을 기대기 위해 팔을 뒤로 뻗으며 말했다. 로저는 밥이 편하게 기댈 수 있도록 베개를 두드려 정리해주었다. 밥은 미소 띤 얼굴로 그런 로저를 바라보았다.

"사람은 몇 년을 사느냐가 아니라 어떻게 사느냐가 중요하다는 말일세."

"하지만 인간이라면 누구나 오래 살고 싶어 하잖아요."

로저가 말했다.

"그건 그렇지. 우린 인생의 길이가 그 가치와 비례한다고 배워왔거든. 하지만 길든 짧든 인간은 자신에게 정해진 시간을 사는 거야. 그리고 그 시간을 어떻게 쓰느냐는 자기 자신에게 달렸지. 로저, 묘지에 가면 뭐가 있나?"

밥이 물었다.

"묘비 말인가요?"

"그 묘비에 뭐라고 쓰여 있지?"

밥이 다시 물었다.

"보통 고인의 삶에 대한 문구를 새겨놓죠."

로저가 대답했다.

"그렇지. 하지만 이름 밑에는 항상 숫자가 있지 않던가? '로버트 제임스 1939~1987' 하는 식으로 말이야. 마치 그 숫자들이 고인의 인생을 정의하는 데 있어 가장 중요한 정보인 것처럼 커다랗게 써놓았지."

"그 숫자가 중요하지 않다는 말씀인가요?"

로저가 물었다.

"물론이지."

밥은 로저의 팔을 가볍게 치며 대답했다.

"한번 들어보게. 지금 우리가 제임스 씨의 묘비를 보고 있다고 생각해봐. 1939나 1987이라는 숫자가 먼저 눈에 들어오겠지만, 숫자보다는 그 사이에 존재하는 시간에 대해 생각해보자고. 무슨 일이 있었는지, 그가 이 세상에 어떤 기여를 했는지, 그리고 1987년 그가 세상을 떠난 후에 그의 삶이 이 세상에 남긴 것은 무엇인지 말일세. 무슨 말인지 알겠나?"

밥은 간호사가 들어오자 잠시 말을 멈췄다가, 간호사가 나가자 다시 입을 열었다.

"2천 년을 살든 20년을 살든 중요한 건 그 기간이 아니라네. 정해진 시간을 어떻게 살았느냐가 중요한 거지."

로저는 밥이 활기를 되찾아가는 모습을 보며 잠시 생각에 잠겼다. 하지만 여전히 밥을 떠나보내야 할지도 모른다는 두려움에 가슴이 저려왔다. 로저는 그 두려움을 잊으려는 듯 쾌활하게 말했다.

"어쨌든 오늘은 안색이 좋아 보이시네요. 정말 다행입니다."

"아니야. 난 이제 이 세상을 떠날 준비를 마쳤다네."

밥은 로저의 마음속에 들어와 보기라도 한 듯 말했다.

"헤어진다고 너무 슬퍼하지 말게. 생각해보면 그럴 이유가 없지 않은가. 우리는 다른 사람들이 두 번 세 번을 살아도 깨닫지 못한 것들을 배웠네. 덕분에 나는 좋아하는 일을 하면서 행복하게 살 수 있었지. 게다가 내가 깨달은 것들을 다른 사람에게 전하고, 그들이 어려울 때 도움을 줄 수 있었는데 더 이상 바랄 게 뭐가 있겠나."

"이제 그만 하세요. 왜 자꾸 작별인사처럼 말씀하세요."

로저가 더 이상 참지 못하고 힘들게 말을 막았다.

"그래, 이게 내 작별인사라네."

밥이 침착하게 말했다.

"아저씨는 떠날 준비가 되셨는지 몰라도 저는 아직 아닌 것 같아요."

로저가 고개를 흔들며 말했다.

"자네는 아직 정해진 시간을 다 채우지 못했으니까."

로저는 이해할 수 없다는 표정을 지었다. 밥은 빙그레 웃으며 이야기를 계속했다.

"자네에게 주어진 인생의 시간은 아직 많이 남아 있지 않은가. 그래서 준비가 안 됐다고 느끼는 거지. 하지만 나는 내게 주어진 시간을 다 마쳤어. 지금 내 기분이 어떤지 안다면 자네도 슬프지만은 않을 걸세."

"어떤 기분이신데요?"

로저가 물었다.

"글쎄…… 어떻게 설명하면 좋을까?"

밥은 잠시 생각에 잠겼다.

"가족이나 친구들과 야외에서 하루 종일 즐거운 시간을 보냈던 날을 떠올려보게. 모두가 재미있는 시간을 보냈던 날을 얘기해봐."

"불과 며칠 전에 그런 일이 있었어요."

로저가 대답했다.

"토요일이었는데, 오전에는 앤드류를 만났죠. 지난번에 말씀드렸던 새 이웃 말입니다. 첫 번째 지침을 그에게 알려주었고 다음 주에 다시 만나기로 했어요. 그런 다음 집으로 돌아와 아이들과 바비큐 파티를 준비하는데, 크로킷스틸의 바튼 우즈 회장이 찾아와서 함께 점심을 먹었어요. 우즈 회장은 저와 저희 회사를 칭찬하더니 저희와 계속 거래를 하기로 결정했다고 하더군요. 가격인하 요구도 철회됐고 앞으로는 양사간 대화를 활성화시키기로 했어요. 그리고 오후 내내 딸아이들과 놀아줬고요. 공원에 가서 자전거도 타고 말이죠."

"저녁쯤엔 녹초가 됐겠군."

밥이 말했다.

"맞아요. 완전히 지쳐버렸죠. 하지만 기분은 더할 나위 없이 좋더군요."

로저가 대답했다.

"바로 그런 기분이라네. 그날 자네가 느꼈던 기분을 떠올려

청소부 밥

보게. 집에 돌아와 샤워를 마치고 침대에 눕기 전, 머릿속은 온통 그날의 즐거웠던 기억들로 가득할 거야. 몸은 피곤하지만 이제 푹 쉴 수 있다는 생각에 더없이 아늑하고 포근한 느낌이 들지 않던가?"

로저는 비로소 밥의 말을 이해하고 고개를 끄덕였다.

"자기에게 주어진 인생의 시간을 충실히 살고 나면 바로 그런 기분이 들지. 지금 내 기분이 그렇다네. 떠날 준비가 된 거지. 몸은 피곤하지만 마음은 행복해. 이제 조금만 있으면 난 그동안의 추억을 간직한 채 편하게 쉴 수 있을 거야. 물론 이곳에 좀더 머물 수도 있겠지만, 이제는 사랑하는 아내와 함께 편안한 휴식을 취하고 싶다네."

로저는 입을 꼭 다문 채 고개를 끄덕였다.

"어떤가? 이제 슬퍼할 이유가 없다는 걸 알겠지?"

로저는 대답 대신 미소를 지으며 밥의 손을 꼭 잡았다.

여섯 가지 지침의 수혜자들

로저는 여태껏 그토록 큰 교회를 본 적이 없었다. 하지만 교회가 커도 역부족이었다. 조문객이 워낙 많아 복도까지 사람들로 넘쳐나고 있었다. 성가대는 밥이 가장 좋아하던 아리아를 불렀다. 마치 하늘에서 울려 퍼지는 천사들의 노랫소리 같았다.

로저는 많은 사람들 앞에서 연설할 시간이 다가오자 초조한 마음을 감추지 못하고 자꾸 헛기침을 했다. 달린이 그의 손을 잡고 격려해주었다.

노랫소리가 멈추자 로저의 이름이 호명되었다. 그는 조용히 단상에 올라가 마이크 앞에 섰다.

"먼저 여러분 앞에 설 수 있는 기회를 주신 밥 아저씨의 가족들께 감사드립니다.”

로저의 추모 연설이 시작되었다.

“이 자리에는 밥 아저씨의 오랜 친구 분들이 많이 와 계시겠지만, 저는 솔직히 그분을 알게 된 지 얼마 되지 않았습니다.”

로저는 잠시 말을 멈추고 달린과 두 딸을 바라보았다. 그들은 로저에 대한 애정과 자랑스러움이 가득한 눈빛으로 미소 짓고 있었다.

“비록 짧은 시간의 만남이었지만 밥 아저씨는 제게 매우 특별한 분이셨습니다. 제가 길을 잃고 헤매고 있을 때 그분이 제 삶에 나타나셨습니다. 저는 마치 폭풍을 만난 나그네처럼 절망에 빠져 허우적대고 있었고, 제가 걸어가야 할 길에서 점점 더 멀어져가고 있었습니다. 그때 아저씨는 진심 어린 우정으로 흔들리는 제 발길을 잡아주셨고 옳은 방향을 일러주셨습니다. 바로 하나님을 향한 길을 보여주셨던 겁니다. 덕분에 저는 다시 제자리로 돌아올 수 있었습니다. 이 일로 저뿐 아니라 제 가족과 친구들 그리고 직장동료들까지도 더욱 행복한 삶을 누릴 수 있게 되었습니다. 아저씨는 바쁘신 중에도 진정으로 행복한 삶을 살기 위한 훌륭한 지혜들을 제게 나눠주셨습니다. 하나님을 향한 신실한 믿음과 부인인 앨리스에 대한 사랑으로부터 나온 참된 지혜와 가르침이었지요. 저 외에도 수많은 분들이 밥 아저씨를 통해 진정한 삶의 의미를 깨달으셨을 거라 생각합니다. 분명 이 자리에도 많이 와 계시리라 믿습니다. 그분들은 '여섯 가지 지침'에 대해 알고 계실 것입니다. 그 지혜로운 가르침을 우리에게 전해준 밥 아저씨께 하나님의 축복이 있기를 간절히 빕니다."

그때 누군가 조심스럽게 손을 들어 로저의 말에 동조를 표시했다. 로저가 고개를 들어 그쪽을 바라보니 이웃 앤드류가 미소 띤 얼굴로 그를 바라보고 있었다. 곧이어 사람들의 손이 하나 둘씩 올라가기 시작했다. 수백 명의 사람들이 손을 들어 '여섯 가지 지침의 수혜자'임을 고백하고 있었다. 흐뭇하고 훈훈한 웃음소리가 물결처럼 퍼져갔다.

"밥 아저씨는 매주 한 가지씩 여유를 갖고 지침들을 제게 알려주셨는데 마지막 지침은 그렇게 하지 못하셨습니다. 하나님의 부르심이 임박한 순간 시간에 쫓겨가며 설명할 수밖에 없었죠. 저는 그분의 도움 없이 어떻게 이 마지막 지침을 이해할 수 있을지 걱정했지만, 그것을 제가 직접 경험하고 있다는 것을 이내 깨닫게 되었습니다. 오늘 이렇게 많은 분들께서 그분을 기억하기 위해 이 자리에 모인 모습이 마지막 지침을 어떤 해설보다 더 분명하게 보여주고 있습니다. 방금 손을 들어주신 분들, 그리고 밥 아저씨를 만나 참된 깨달음을 경험하신 분들의 삶 속에

자신에게 주어진 인생을 충실히 마치고 나면
마치 신나게 놀다 녹초가 된 어느 저녁처럼
몸은 피곤하지만
더없이 충만한 느낌으로
행복하게 잠들 수 있습니다.

서, 그분의 지혜는 여전히 생생하게 살아 있고 더욱 풍성해질 것이기 때문입니다. 우리는 절망에 빠진 사람들에게 손을 내밀고, 밥 아저씨께서 전해주신 가르침을 통해 그들을 희망찬 미래로 인도할 것입니다. 저는 이것이 바로 '삶의 지혜를 후대에 물려주라'는 마지막 지침의 참된 의미라는 것을 깨달았습니다. 지금 제 눈으로 보고 있는 이 장면보다 더 훌륭한 해설은 없을 것입니다. 밥 아저씨는 언젠가 제게 이런 말씀을 하셨습니다. 이 세상에서 주어진 시간을 다 보내고 하나님 곁으로 갔을 때, '나의 착하고 충실한 아들아! 잘 해냈구나!' 라는 칭찬을 꼭 듣고 싶다고요. 여러분을 뵈니 밥 아저씨는 분명 원하는 말씀을 들었을 거라는 생각이 듭니다. 이것이야말로 인생의 궁극적 목적이자 후대에 물려줘야 할 삶의 지혜가 아닐까요?"

청소부 밥

삶의 지혜를 전달하라

"전 이만 퇴근할게요."

비서 베키가 사장실 문틈으로 고개를 내밀고는 로저와 바튼 우즈 회장에게 인사를 건넸다.

"이건 사장님 앞으로 온 소포예요."

"고마워요, 베키."

로저는 소포 꾸러미를 받아들며 말했다.

"주말 잘 보내요."

우즈 회장이 잠자코 기다리는 동안 로저는 두꺼운 겉포장을 뜯고 편지 한 통과 검은색 가죽 상자를 꺼냈다.

"밥 아저씨의 가족들이 보낸 거군요."

로저가 편지를 읽으며 말했다.

"이걸 제게 주고 싶다고 썼네요."

"시계 말인가?"

우즈 회장이 물었다.

"장례식이 끝난 뒤 가족들에게 돌려줬었거든요."

로저가 고개를 끄덕이며 대답했다.

"하지만 밥 아저씨께서 제게 주셨던 것이니, 이제 제가 갖는 것이 당연하다고 쓰여 있네요."

"아주 의미 있는 선물이로군."

우즈 회장이 말했다.

"가족들도 모두 좋은 사람들 같군. 그 양반을 직접 만나보지 못한 게 정말 안타까워."

"그렇죠."

로저가 말했다.

"좋은 말씀을 많이 해주셨을 텐데 말입니다."

"대신 자네가 그분의 지침을 내게 전해주고 있지 않나."

우즈 회장이 로저에게 눈을 찡긋하며 말했다.

"그런 면에서 나도 그분을 조금은 알고 있는 셈이지."

로저는 미소를 지으며 검은 상자를 열었다. 그 안에는 낯익은 손목시계가 여전히 빛을 발하며 그에게 지혜를 전하고 있었다.

'배운 것을 전달하라.'